MW00806687

MANUAL PARA LA ELABORACIÓN DE UN PROYECTO DE INTERVENCIÓN UTILIZANDO EL MODELO IDEA

SKARY ARMANDO LÓPEZ OSUNA

BARKER & JULES®

Manual para la elaboración de un Proyecto de Intervención utilizando el Modelo IDEA

Edición: | BARKER & JULES™
Diseño de Portada: Paulina López | BARKER & JULES™
Diseño de Interiores: Paulina López | BARKER & JULES™

Primera edición - 2023 D. R. © 2023, Skary Armando López Osuna

I.S.B.N. Paperback | 979-8-88929-394-1
I.S.B.N. Hardback | 979-8-88929-395-8
I.S.B.N. eBook | 979-8-88929-393-4

Derechos de Autor - Número de control Library of Congress:
Todos los derechos reservados. No se permite la reproducción total o parcial de este libro, ni su incorporación a un sistema informático, ni su transmisión en cualquier forma o por cualquier medio, ya sea electrónico, mecánico, fotocopia, grabación u otros, sin autorización expresa y por escrito del autor. La información, la opinión, el análisis y el contenido de esta publicación es responsabilidad de los autores que la signan y no necesariamente representan el punto de vista de BARKER & JULES™, sus socios, asociados y equipo en general.

BARKER & JULES™ y sus derivados son propiedad de BARKER & JULES LLC.

BARKER & JULES, LLC
500 Broadway 606, Santa Monica, CA 90401
barkerandjules.com

Para ustedes que tanto amo.
Gracias Dios.

CONTENIDO

LISTA DE GRÁFICOS

LISTA DE TABLAS

LISTA DE FIGURAS

GRÁFICO 1. ESTRUCTURA GENERAL DEL MODELO IDEA

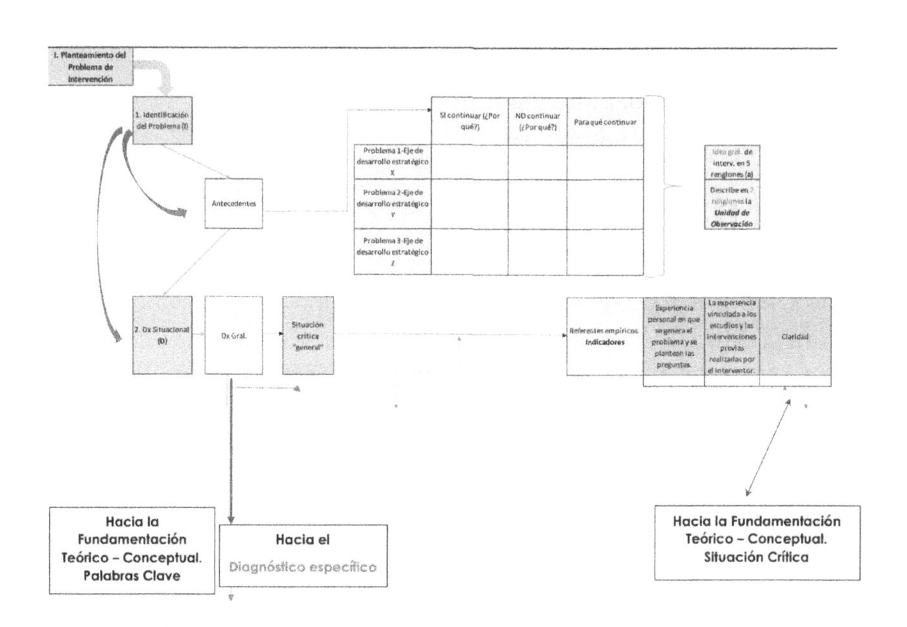

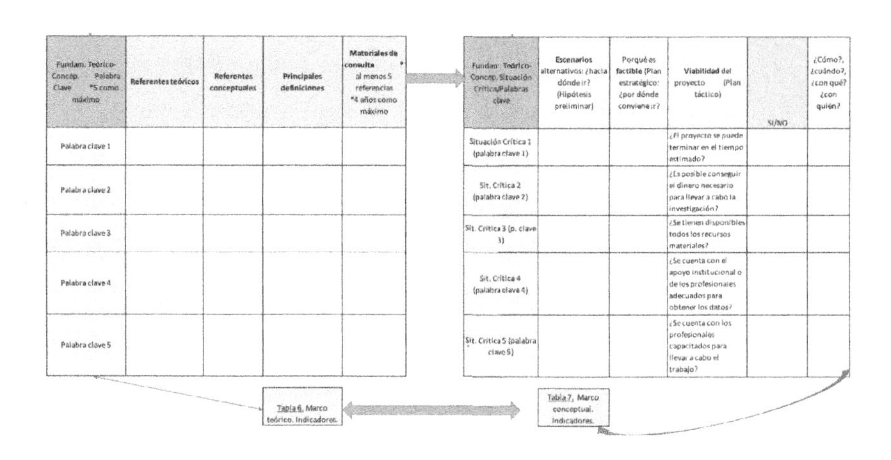

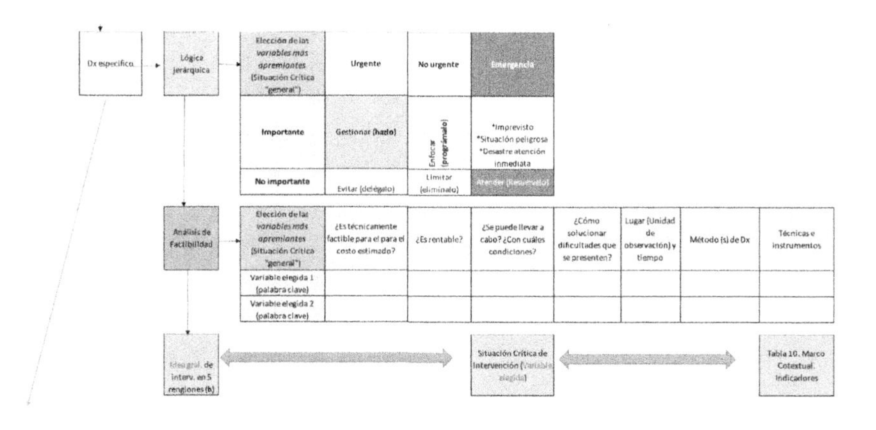

Dx específico
Lógica jerárquica
Elección de las variables más apremiantes (Situación Crítica "general")
Urgente
No urgente
Emergencia
Importante
Gestionar (hazlo)
Enfocar (prográmalo)
*Imprevisto
*Situación peligrosa
*Desastre atención inmediata
No importante
Evitar (delégalo)
Limitar (elimínalo)
Atender (Resuélvelo)
Análisis de Factibilidad
Elección de las variables más apremiantes (Situación Crítica "general")
¿Es técnicamente factible para el para el costo estimado?
¿Es rentable?
¿Se puede llevar a cabo? ¿Con cuáles condiciones?
¿Cómo solucionar dificultades que se presenten?
Lugar (Unidad de observación) y tiempo
Método (s) de Dx
Técnicas e instrumentos
Variable elegida 1 (palabra clave)
Variable elegida 2 (palabra clave)
Idea gral. de interv. en 5 renglones (b)
Situación Crítica de Intervención (Variable elegida)
Tabla 10. Marco Cotextual. Indicadores

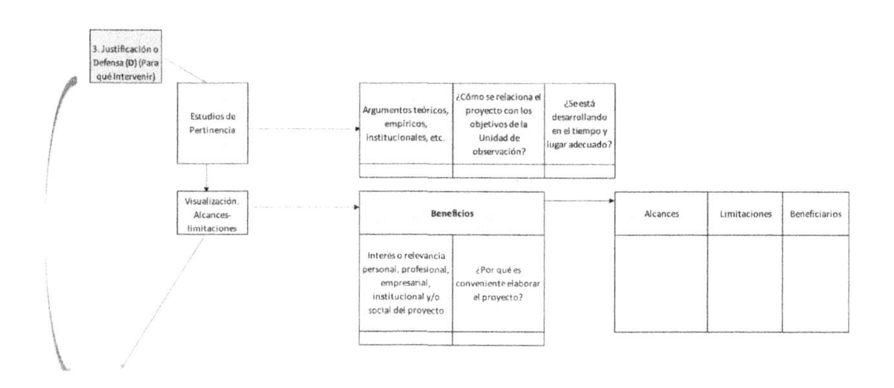

3. Justificación o Defensa (D) (Para qué Intervenir)
Estudios de Pertinencia
Argumentos teóricos, empíricos, institucionales, etc.
¿Cómo se relaciona el proyecto con los objetivos de la Unidad de observación?
¿Se está desarrollando en el tiempo y lugar adecuado?
Visualización. Alcances-limitaciones
Beneficios
Interés o relevancia personal, profesional, empresarial, institucional y/o social del proyecto
¿Por qué es conveniente elaborar el proyecto?
Alcances
Limitaciones
Beneficiarios

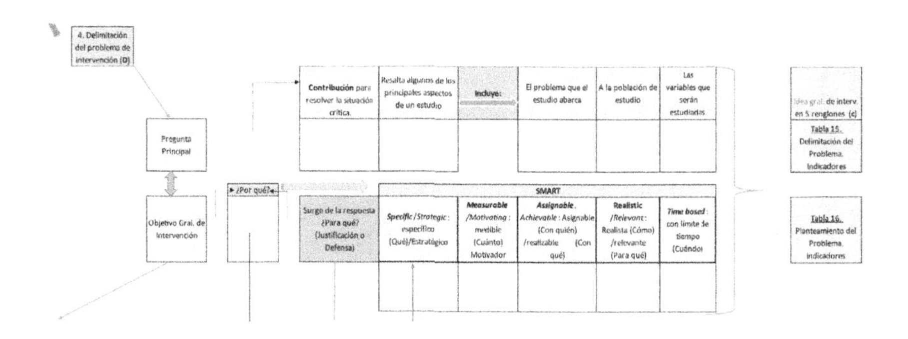

4. Delimitación del problema de intervención (D)
Pregunta Principal
Objetivo Gral. de Intervención
Contribución para resolver la situación crítica.
Resalta algunos de los principales aspectos de un estudio
Incluye:
El problema que el estudio abarca
A la población de estudio
Las variables que serán estudiadas
Idea gral. de interv. en 5 renglones (c)
Tabla 15. Delimitación del Problema. Indicadores
¿Por qué?
Surge de la respuesta ¿Para qué? (Justificación o Defensa)
SMART
Specific / Strategic: específico (Qué)/Estratégico
Measurable /Motivating: medible (Cuánto) Motivador
Assignable. Achievable: Asignable (Con quién) /realizable (Con qué)
Realistic /Relevant: Realista (Cómo) /relevante (Para qué)
Time based: con límite de tiempo (Cuándo)
Tabla 16. Planteamiento del Problema. Indicadores

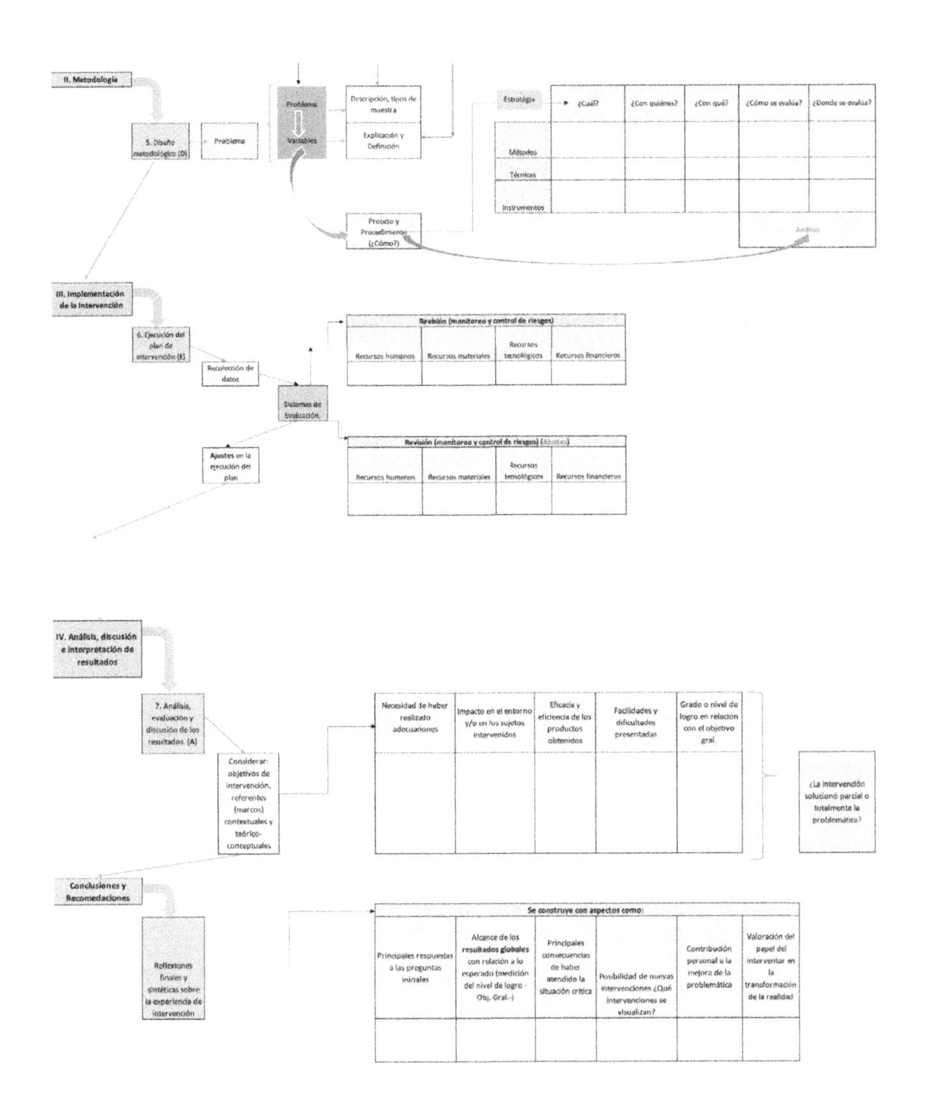
II. Metodología
5. Diseño metodológico (D)
Problema
Problema
Variables
Descripción, tipos de muestra
Explicación y Definición
Proceso y Procedimiento (¿Cómo?)
Estrategia
¿Cuál?
¿Con quiénes?
¿Con qué?
¿Cómo se evalúa?
¿Dónde se evalúa?
Métodos
Técnicas
Instrumentos
Análisis
III. Implementación de la Intervención
6. Ejecución del plan de intervención (E)
Recolección de datos
Sistemas de Evaluación.
Ajustes en la ejecución del plan
Revisión (monitoreo y control de riesgos)
Recursos humanos
Recursos materiales
Recursos tecnológicos
Recursos financieros
Revisión (monitoreo y control de riesgos) (Ajustes)
Recursos humanos
Recursos materiales
Recursos tecnológicos
Recursos financieros
IV. Análisis, discusión e interpretación de resultados
7. Análisis, evaluación y discusión de los resultados. (A)
Considerar: objetivos de intervención, referentes (marcos) contextuales y teórico-conceptuales
Necesidad de haber realizado adecuaciones
Impacto en el entorno y/o en los sujetos intervenidos
Eficacia y eficiencia de los productos obtenidos
Facilidades y dificultades presentadas
Grado o nivel de logro en relación con el objetivo gral.
¿La intervención solucionó parcial o totalmente la problemática?
Conclusiones y Recomedaciones
Reflexiones finales y sintéticas sobre la experiencia de intervención
Se construye con aspectos como:
Principales respuestas a las preguntas iniciales
Alcance de los resultados globales con relación a lo esperado (medición del nivel de logro - Obj. Gral.-)
Principales consecuencias de haber atendido la situación crítica
Posibilidad de nuevas intervenciones ¿Qué intervenciones se visualizan?
Contribución personal a la mejora de la problemática
Valoración del papel del interventor en la transformación de la realidad

COMPETENCIA GENERAL

Resuelve un problema de gestión estratégica susceptible de intervención detectado en un ámbito específico de una organización.

COMPETENCIAS ESPECÍFICAS

- Muestra interés en plantear el problema de intervención y comprender los principales conceptos y teorías que sustentan su proyecto.
- Diseña un proyecto para intervenir en la gestión estratégica con el propósito de mejorar el desempeño en la gestión empresarial, y su talento humano, buscando impactar en la rentabilidad, eficiencia y permanencia de la organización.
- Interviene en la *unidad de observación* provocando resultados de alto valor agregado.
- Analiza e interpreta los resultados obtenidos en la ejecución de la intervención, explicando las principales respuestas a las preguntas de intervención, así como sus alcances con relación a lo esperado, tomando en cuenta las consecuencias de haber atendido la situación crítica que se pretendía solucionar y posibilidad de nuevas intervenciones.
- Reflexiona sobre su experiencia de intervención, su contribución personal a la mejora de la problemática y valoración del papel del interventor en la transformación de la realidad atendido.

OBJETIVO GENERAL

Intervenir estratégicamente[1] en un ámbito específico de una organización[2], ya sea pública, privada o una ONG, orientado a provocar

1 Toda intervención pretende modificar y/o cambiar la realidad, supone un cuestionamiento ella y un imperativo de actuar para cambiarla; y se puede realizar tanto en los procesos, en los productos como en los servicios.

2 La **unidad de observación** puede considerar a toda la organización o solo a un *espacio determinado*. También llamado *sujeto* (cualquier persona, grupo, clase o institución).

resultados de alto valor agregado al mejorar el desempeño en la gestión empresarial y de su talento humano que impacte en su rentabilidad, eficiencia y permanencia.

DEFINICIÓN

El *Proyecto de Intervención* es un constructo teórico-metodológico que pretende apoyar de una manera sistemática el proceso de actuación de los interventores en una *unidad de observación*; para esto propone todo un conjunto de actividades que se articulan en cuatro fases de trabajo: **diagnóstico, planeación, implementación y evaluación**, y que resuelven con una nueva lógica la contradicción, la tensión, la deficiencia o el conflicto detectado en el ámbito de la organización.

- En la primera y segunda fase (diagnóstico, planeación) se elabora una PROPUESTA de intervención que pretende resolver un problema detectado en una *unidad de observación*; para ello, es importante especificar el problema que es motivo de intervención, las estrategias y los fundamentos de acción, teniendo en consideración los recursos, tiempos y resultados esperados.
- En la tercera fase (implementación) se pone en marcha el proyecto de intervención, para lo cual es conveniente llevar una bitácora o diario de campo en el que se registre puntualmente el seguimiento de la intervención.
- En la cuarta fase (evaluación), se realiza el análisis e interpretación de resultados, donde se recupera, valora y sistematiza la información según los referentes teórico-conceptuales y los objetivos de intervención; además de analizar,
- evaluar y contrastar los resultados considerando la necesidad de haber realizado adecuaciones al proyecto inicial, el impacto en el entorno y/o en los sujetos intervenidos, la eficacia y eficiencia de los productos obtenidos, las fa-

cilidades y dificultades presentadas, así como el grado de logro de las acciones emprendidas para dar solución parcial o total de la problemática.

- Al final, se escriben las reflexiones finales y sintéticas sobre la experiencia de intervención (Conclusión); desatacando aspectos como las principales respuestas a las preguntas iniciales, el alcance de los resultados con relación a lo esperado, principales consecuencias de haber atendido la situación crítica, posibilidad de nuevas intervenciones, contribución personal a la mejora de la problemática y valoración del papel del interventor en la transformación de la realidad atendida.

REGISTRO DISCURSIVO

- Estilo formal de redacción, sin coloquialismos.
- Elaboración individual.
- Voz narrativa en primera persona del singular (yo), o del plural (nosotros) o impersonal (conjugaciones en tercera persona del singular).

ASPECTOS FORMALES

1. Fuente Georgia, 12 puntos, interlineado 1.5 y todo el escrito en “color negro”.
2. Texto justificado, con excepción de títulos y subtítulos.
3. Títulos centrados, con mayúsculas y en **negritas**. Fuente Georgia, 16 puntos, interlineado 1.5.
4. Subtítulos alineados a la izquierda con espacio de 1.27 cm (primera línea), en mayúsculas y minúsculas, en **negritas**. Fuente Georgia, 14 puntos, interlineado 1.5.
5. Nota: para los incisos que contengan 3 número, como (1.2.2), se espacia 1.5 cm (primera línea); en mayúsculas y

minúsculas. Fuente Georgia 12 puntos, aunque algunos de estos pudieran ser o de carácter "instruccional", o solamente "indicativo".

6. Cuerpo de la obra: Interlineado de 1.5, con un *espaciado posterior* entre párrafos de 8 puntos.
7. Sangría en la *primera línea* de cada párrafo en la totalidad del escrito, con excepción de los párrafos iniciales de cada apartado, y el listado de referencias.
8. Márgenes superior e izquierdo de 3 cm, márgenes inferior y derecho de 2.5 cm.
9. Paginación en la parte **inferior derecha**, con numeración **arábiga** consecutiva en el cuerpo del texto y hasta el Referencias consultadas. Desde el resumen y hasta la con números **romanos** *minúsculos* consecutiva.
10. Sin paginación en portada. A partir del Índice de contenido, y hasta la Introducción (**que es lo último que se escribe**), con números romanos minúsculos y centrados en la inferior de la página.
11. Que el documento siga los lineamientos del *Manual de publicaciones de la American Psychological Association*, APA (utilizar la edición más reciente).
12. Títulos de tablas y tablas en la parte superior de los mismos, centrados, con fuente Georgia 12 puntos, espaciado sencillo. La fuente de de donde se obtuvo la información, centrados, con fuente Arial 11 puntos, en *cursiva*, espaciado sencillo.
13. Títulos de figuras, gráficos, esquemas o mapas en el pie de estos, centrados, con fuente Georgia 12 puntos, espaciado sencillo. La fuente de información, centrados, con fuente Georgia 11 puntos, en *cursiva*, espaciado sencillo.
14. Sin errores ortográficos: uso correcto de signos de puntuación.
15. Redacción clara, precisa y de corte académico (atender reglas gramaticales).

16. Cuidar que los párrafos tengan Unidad (desarrollar una sola idea principal), Cohesión (oraciones articuladas de forma ordenada y que comunican un mismo mensaje) y Coherencia (relación entre el párrafo con el eje temático del texto y, dentro de él, relación de las ideas secundarias con la idea principal).
17. La extensión del documento dependerá del objetivo que se persigue.

RESUMEN EJECUTIVO

El resumen ejecutivo es "[...]una **síntesis del [proyecto de intervención]**, en la que se recogen sus puntos clave".
Su objetivo es que el lector pueda tener una **rápida visión del [proyecto]** y de sus indicadores clave.
Debe ser **breve, conciso y atractivo**, proporcionando una visión integral [...]lo suficientemente atractiva para que el lector se interese"[3] por leerlo.
Incluso, se puede utilizar como *presentación* del proyecto a los interesados.
En función del objetivo que persiga y su destinatario se puede **adaptar su contenido** destacando más determinada información.

¿Cómo elaborar un resumen ejecutivo?

Para la elaboración de un resumen ejecutivo debemos incluir diferentes apartados con la información clave:

- Encabezado: nombre de la organización, ubicación y datos de contacto.
- Socios y equipo directivo: presentación de los socios y directivos clave que lideran el proyecto, destacando su formación y experiencia.
- Información básica del proyecto: fecha de inicio y terminación, así como los aspectos más destacados del cronograma de intervención.
- Problema: Se describen las necesidades que se van a satisfacer, los *factores generales* de la **situación crítica o problemática** (tiene correspondencia con *problematización*). En este apartado los datos deben ser claros, creíbles y estar justificados.

---

3 https://www.sage.com/es-es/blog/resumen-ejecutivo-que-es-y-como-elaborarlo/

- **Unidad de observación**: Se describe el *sujeto* a intervenir (institución, organización, localidad, comunidad, región o espacio determinado). ¿Dónde se va a hacer? / ¿Con quién se va a hacer?
- Ventajas del proyecto: Se deben destacar las fortalezas y oportunidades de la empresa para *llevar a buen puerto* el proyecto de intervención.
- **Diagnóstico situacional**. Se describen los modelos utilizados, así como el análisis de factibilidad.
- Justificación y Delimitación del problema de intervención. Pregunta y objetivos generales.
- **Metodología de intervención**. Se detalla el diseño y abordaje metodológico del proyecto
- Principales **resultados y evidencias** obtenidas después de la implementación del proyecto de intervención.
- Datos financieros clave: hay que reflejar las necesidades financieras; se debe dejar claro cuánto dinero necesita para llevar a cabo el proyecto de intervención y en qué empleó.

Para conseguir que el lector mantenga su atención en el resumen ejecutivo y se interese por el proyecto, a continuación, se comparten algunos consejos.

1. Breve. Debe ser breve y conciso. Su extensión no debe ser mayor que dos o tres páginas como mucho. Si puede plasmarse en una página, mejor.
2. Introduce elementos gráficos. Para explicar determinados datos es conveniente apoyarse en gráficos.
3. Introduce algún elemento creativo. Se puede incluir alguna cita de alguna personalidad destacada o alguna estadística que avale el proyecto de intervención.
4. Debe poder leerse de manera independiente al plan de la organización.

5. Resalta las principales características del proyecto. Es conveniente que se destaquen las principales características y fortalezas del proyecto.
6. Concéntrate en los elementos positivos. Plasma en él solo lo positivo. Los riesgos y amenazas ya se detallarán en el proyecto completo, así como la forma en que los afrontará la organización.

ESTRUCTURA DEL INFORME DE INTERVENCIÓN

Los elementos que debe contener el documento final del *Proyecto de Intervención* son los siguientes:

Portada. Se incluye: Logotipo oficial, nombre de la institución, nombre del programa académico, la frase *Proyecto de Intervención* (y número según corresponda), título del documento (máximo de 15 palabras) y/o número de la tarea, nombre del autor, nombre y apellidos del asesor, lugar y fecha.

Índice. Se indican los títulos y subtítulos de los capítulos, así como el número de página en que éstos inician. Si es el caso, se incluye la lista de tablas, tablas, figuras, gráficos, esquemas o mapas insertos en el cuerpo del documento.

Introducción. Se justifica el *Proyecto de Intervención*, se plantea sintéticamente el tema de intervención y su relevancia y se escribe una breve presentación de lo que trata cada apartado del contenido, en un intento por anticipar al lector lo que encontrará.

CONTENIDO

El contenido se divide en 4 capítulos (etapas) y 7 «pasos», mismos que constituyen el Modelo IDEA.

El documento, *Manual para la construcción de un Proyecto de Intervención utilizando el Modelo IDEA. Hacia la Gestión estratégica y la Generación de valor,* se diseñó como respuesta didáctica a la asignatura de ***Proyecto de Intervención***, Proyecto de Intervención I, II, III y IV, que forma parte del mapa curricular del **Doctorado en Dirección Estratégica y Gestión de la Innovación**:

- En este se expone y desarrolla el Modelo IDEA, de creación propia, que de acuerdo con su estructura, orden y contenido se presenta en forma secuencial en el formato de módulos[4]. Cada módulo corresponde respectivamente a Proyecto de Intervención I, II, III y IV; asimismo, cada capítulo corresponde a un módulo.

- El manual tiene un propósito autodidáctico, aunque también puede ser utilizado por el docente (o tutor, o asesor o mentor) para acompañar a sus alumnos; o por consultores, asesores o interventores que prestan sus servicios a diversas organizaciones. En este sentido, el acompañamiento puede ser presencial, a distancia o híbrida.
- En el supuesto de que este documento apoye la impartición de alguna asignatura, cada módulo se diseñó para desarrollarse en 30 horas presenciales y 15 horas no presenciales.

La estructura modular que se ha utilizado tiene el propósito de que durante todo el proceso de diseño y construcción del *Proyecto de Intervención* se facilite la:

- **Unificación de criterios** (de diseño y construcción).
- **Visualización integral**, y a manera de una sola *guía de proyecto*, todas sus etapas hasta concluir con el "Informe Final de Intervención".

Para ello, se sugiere que se sigan tanto el *orden* como los *lineamientos* expuestos en el documento.

4 Elemento con función propia concebido para poder ser agrupado de distintas maneras con otros elementos constituyendo una unidad mayor. https://www.educaplay.com/printablegame/3509692-plataformas_virtuales.html

INTRODUCCIÓN

La gran mayoría de los textos sobre organización se preocupan por los problemas empresariales vistos desde la gerencia, es decir, temas como la eficiencia, el control, el desempeño organizacional son los preferidos de los estudiosos. Esto es bastante comprensible si entendemos que es producto de la supremacía de los enfoques funcionalistas inspirados por las escuelas de administración más tradicionales. De otro lado, las convenciones lingüísticas y meta-teóricas dan como resultado considerar que muchos de los efectos en las organizaciones son inevitables y se producen sin intervención de los individuos. En este sentido, pretenden hacer entendible que, en aras de la eficiencia, los despidos, los cierres de empresas, son producto de la competencia, de las restricciones y son absolutamente necesarios para que la organización perdure, para lograrlo se llevan a cabo procesos de intervención **que pretenden modificar y/o cambiar la realidad;** al cuestionar el presente, se hace un intento por inducir cambios en las actitudes y las conductas, porque se asume que la intervención va a introducir enfoques, estilos, prácticas y modos de abordar el problema y la realidad, de manera que sean las propias prácticas conscientes del grupo *objeto de intervención* las que vayan a modificar la realidad en cuestión (Rodríguez, 2009).

Sin embargo, enfocarse solo en argumentos utilizados por los teóricos de la organización podría no ser suficiente, ya que han sido muy criticados y tildados de "servidores del poder" (Baritz, 1960). Hoy se está planteando un análisis de la organización mucho más amplio y analítico que se auxilia de esfera como las de la *investigación-intervención* que tiene como unidad de análisis la organización (en particular la organización empresarial), con un enfoque crítico que integra los diversos niveles de análisis sociológico y que deja de lado el análisis simplista-funcionalista y desde el poder gerencial (Murillo Vargas, 2009).

En opinión de Hernández Sampieri et al, 2014, p. 101 en Pérez, 2022) “una buena *investigación-intervención* es aquella que disipa dudas con el uso del método científico, es decir, clarifica las relaciones entre variables que afectan al fenómeno bajo estudio; de igual manera, planea con cuidado los aspectos metodológicos, con la finalidad de asegurar la validez y confiabilidad de sus resultados.

Ya que toda intervención supone un cuestionamiento de la realidad, donde uno o varios problemas interpelan nuestra conciencia, se requiere actuar para cambiarla desde nuestras perspectivas profesionales y científicas, y que se comprenda y se asuman las implicancias, causas y consecuencias. Desde este punto de vista, toda intervención, implica **una toma de conciencia, del científico o del profesional** y **del grupo o individuo intervenido.** Para ello, se pueden utilizar “estrategia de intervención”, que se entienden como **el conjunto coherente de recursos utilizados por un equipo profesional disciplinario o multidisciplinario, con el propósito de desplegar tareas en un determinado espacio social y *socio-cultural* con el propósito de producir determinados cambios** (Rodríguez, 2009).

Este documento pretende ayudar a cumplir el propósito de formar individuos como agentes de cambio que resuelvan diferentes problemas de gestión estratégica, sirviendo como un manual para la construcción del Proyecto de Intervención por medio del Modelo IDEA, así como de su **ejecución, análisis** y promoción que propicie una profunda **reflexión continua.**

Durante el proceso, el interventor detectará las problemáticas organizacionales y planteará las interrogantes a resolver utilizando el stock de conocimientos que ha adquirido fuera y dentro de la organización (teorías, metáforas, paradigmas, experiencia, Benchmarking) como guía en el diagnóstico e intervención organizacional y, una vez que este stock de conocimientos sobre las organizaciones se institucionaliza,

> [ayudará] a guiar la transformación de la realidad. La problemática organizacional, en su dinámica, a través de las experiencias y los estudios de casos científicamente relevantes, estadísticamente valorados y de las experiencias de intervenciones exitosas y de los fracasos, va modificando los conocimientos institucionalizados acerca de las organizaciones. Dentro de estas últimas también se incluye la experiencia histórica de la organización, de sus estrategias, desarrollos e intervenciones pasadas. Esa es la dialéctica teoría-realidad-transformación-teoría, mediante la cual el analista organizacional va recreando la disciplina y su cuerpo de conocimientos, a la vez que mediante la investigación-acción transforma la realidad. La investigación-acción produce el cambio y a la vez un nuevo conocimiento. El cambio ocurre basándose en las acciones emprendidas. El nuevo conocimiento es el resultado de examinar los resultados de la acción (Krieger, 2005).

Es de esperar que el interventor no solo recurra a postulados de las teorías generales en ciencias sociales, en específico de las ciencias de la administración, o en *sociotecnologías* como la sociología de las organizaciones[5] que, de cuando en cuando, encuentran gran

5 Subdisciplina de la sociología que se puede definir como el "[...] estudio de las colectividades en función de su organización, que se considera como un sistema de actividades o fuerzas personales y estructurales conscientemente coordinadas" (Lucas, 2013, p. 21). Según Pichault y Nizet la perspectiva sociológica aplicada al estudio de las organizaciones tiene el valor agregado de dar cuenta del contexto (interno o externo) en el que las organizaciones operan, así como explicar minuciosamente sus relaciones de poder (Supervielle, 2016) [Por su parte la] **sociología** organizacional contribuye a entender la naturaleza relacional de aspectos como el liderazgo, la cultura y el cambio organizacional. Asimismo, permite entender la interdependencia establecida entre la organización y la sociedad (Roldán, 2017).
La misión de la sociedad de las organizaciones es la de difundir racionalidad, ofrecer conocimientos, hacer más comprensibles los procesos sociales del grupo como un todo, con sus subgrupos y grupos de referencia. Podrá así contribuir al funcionamiento óptimo [...]Su interés por los problemas económicos -productividad, estabilidad, pérdidas por conflictos, etc.- es indirecto. Aunque en estos campos sus aportaciones, con base en investigaciones realizadas en diferentes grupos, puedan ser muy prácticas para comprender realmente el problema y plantear correctamente su solución (Lucas Marín, s.f.).

dificultan para sustentar *hechos de estudio* y las relaciones que puedan establecerse con ámbitos específicos diferentes; sino que también se acompañen de diferentes axiomas como los que se observan en la teoría de las organizaciones, la teoría crítica de las organizaciones, la teoría funcionalista, entre otras, aun cuando podrían presentarse algunos planteamientos divergentes con relación a sus premisas:

> La teoría de las organizaciones es, después de todo, una ciencia social, aunque la filosofía y el razonamiento moral son importantes e interesantes, la teoría crítica ha tenido y probablemente tendrá su efecto más significativo allí donde se plantean los estudios de la organización en un ámbito que tiene implicaciones empíricas comprobables (Pfeffer, 1997, p. 245).

Es así como, con el apoyo de más ciencias y teorías, las generalizaciones que resulten podrían ser utilizadas más allá de ser solo válidas para una sociedad, tipo de organización o grupo y tiempo determinados. Actualmente, nada es simple, la sociedad y los problemas se han vuelto complejos al grado tal que ya no puede resolverlos una sola disciplina. Se habla ahora de problemáticas que se constituyen en superposiciones de problemas que requieren del concurso de varias disciplinas. No es gratuito que las ciencias de la complejidad[6] se hayan multiplicado en diferentes campos.

Hoy en día es necesario que el interventor comprenda distintas disciplinas y sus esfuerzos interdisciplinarios; lo que supone que se auxilie del tipo de pensamiento que González Casanova describió

---

6 Complejidad -como parte del *pensamiento complejo*- es un concepto que pretende análisis holísticos, integradores, porque ya no es posible entender al mundo de otra manera, ni con una sola lupa disciplinaria (Baena, 2017). http://www.biblioteca.cij.gob.mx/Archivos/Materiales_de_consulta/Drogas_de_Abuso/Articulos/metodologia%20de%20la%20investigacion.pdf

como *pensamiento crítico*, uno de cuyos objetivos consiste en *plantear la necesidad de una redefinición de la ciencia en que la teoría y la práctica de la crítica y de la acción, así como el análisis histórico-político para la construcción de futuros correspondan a las organizaciones alternativas que no sólo construyan conceptos, sino estructuras* (2017, p. 360), y que articulen las distintas especialidades del saber *para ver qué escapa al saber hegemónico que sea significativo cuando se quiere conocer algo* (Baena, 2017).

La expectativa es entonces que el interventor investigue hasta donde sea necesario para enfrentar los retos que se vayan presentando durante el diseño e implementación de su proyecto de intervención, porque es primordial que establezca sus argumentos filosóficos, metodológicos y epistemológicos desde una postura de tipo holístico[7] prestando atención en *cómo los sistemas y sus propiedades deben ser analizados en su conjunto y no solo a través de las partes que los componen, porque un mero análisis de éstas no puede explicar por completo el funcionamiento del "todo" [...] en otras palabras, que su naturaleza como ente no es derivable de sus elementos constituyentes* (Smuts, 1926). El pensamiento holístico no trata de presentarse directamente como un *axioma* para el nuevo planteamiento que se proponga resolver; es por eso por lo que el interventor se erige como un *pensador-filósofo* que reflexiona de manera permanente sobre los orígenes, la posibilidad y la esencia del conocimiento.

Así mismo, se espera que el proyecto refiera un sistema de intervención (Bertalanffy, 1928, 1968; Senge, 2010; Kilmann, 1984; Lewin, 1947 en Hussain, Lei, Akram et al, 2016) que considera las *fases* de la metodología clásica de intervención (Ávila, 2019, p. 7), como *nexo entre la investigación y la acción-intervención social.*

---

7 Del griego antiguo *holos* «la totalidad», «el entero».

Desde esta perspectiva, el interventor utiliza los elementos de la *investigación-acción* "[para indagar] al mismo tiempo que se interviene" (Hernández Sampieri et al, 2014, p. 496), porque la actividad de *investigación-acción* sirve para diagnosticar una realidad y recomendar los cursos de acción de intervención sobre ella [al] modelar, eficientizar, reparar o cambiar el sistema sociotécnico[8] [...] En este momento se pone en ejecución la investigación-diagnóstico. [que] guía la acción de la intervención organizacional. (Krieger, 2005, p. 428), juntamente con modelos integrados (Rothwell, 1994 en Velazco, s.f.) donde el proceso o metodología se enfoca y se centra en las necesidades del *sujeto* (ilab future thinkers, 2019), con el fin de dar solución o respuesta a la **situación crítica** como problema o fenómeno que se quiere *intervenir*.

Por lo anterior, se incluye en la guía los elementos básicos del diagnóstico[9] situacional de tipo organizacional[10] (ya sea funcional

---

8 Las experiencias de análisis organizacional de largo plazo sobre una organización en particular comenzaron hace más de cincuenta años, con el trabajo de Elliot Jaques (1965) que nombró método socioanalítico de intervención organizacional; técnica de abordaje que se basa en el establecimiento de una relación de colaboración entre un analista independiente (también llamado consultor o interventor) o equipo de investigación y un sistema *cliente*. Este método requiere que el consultor respete tres condiciones **conservar** una actitud objetiva a pesar del carácter poderoso de las emociones que se desencadenan en los grupos, **implicar** desde el inicio del proceso a la totalidad de los individuos y grupos que se vean eventualmente afectados por los resultados, **mantener** el espíritu abierto a todos los aspectos de un problema social y obtener el acuerdo sobre su neutralidad. La investigación-acción intenta aportar una contribución a la vez, en cuanto a las preocupaciones prácticas de las personas que se hallan en situación problemática y al desarrollo de las ciencias sociales por medio de una colaboración que las vincula según un esquema ético mutuamente aceptable. El método socioanalítico ha enriquecido lo metodológico de la intervención psicosociológica aportando tres los elementos: la **negociación** y la **implementación del proyecto**; la **movilidad** del consultor. Con ello, Jaques abrió una vía no tecnocrática de intervención psicosociológica y de investigación-acción; de tal manera que el enfoque socio técnico la organización se ve como un sistema sociotécnico abierto (Jaques, 1965).

9 De acuerdo con Meza (2020), es un proceso analítico que permite conocer la situación real de la organización en un momento dado para descubrir problemas y áreas de oportunidad, con el fin de corregir los primeros y aprovechar las segundas. En este [...], se examinan y mejoran los sistemas y prácticas [internas y externas] de una organización en todos sus niveles [...] Para tal efecto se utiliza una gran diversidad de herramientas, dependiendo de la profundidad deseada, de las variables que se quieran investigar, de los recursos disponibles y de los grupos o niveles específicos entre los que se van a aplicar [...] no es un fin en sí mismo, sino que es el primer paso esencial para perfeccionar el funcionamiento [...] de la organización.

10 Diagnóstico organizacional es el proceso por el cual, mediante el uso de métodos y técnicas de

o cultural[11]) esperando que el interventor siga los pasos de este y la investigación organizacional, al mismo tiempo que se utilizaron los métodos y técnicas que señala Sthulman (1978, p. 433[12]) y aquellos que considere pertinente para su proyecto, en el que el interventor se distinga por su quehacer científico[13], entendido este desde la perspectiva de Bertrand Russell (1989): *todo el conocimiento que poseemos es, o conocimiento de hechos particulares, o conocimiento científico.* Conocer, entonces, será una relación que se establece entre el sujeto que conoce y el objeto conocido, ya que, en el proceso del conocimiento, el sujeto se apropia, en cierta forma, del objeto conocido. Si procede de él mismo, es decir, de sus propias facultades, el conocimiento, según Sierra Bravo (1984), puede tener origen en: La *experiencia*, la *razón*, la *intuición* (comprensión profunda de algo por una especie de visión rápida intelectual, sin necesidad de razonamiento deductivo).

Originalmente, el documento *Manual para la construcción de un Proyecto de Intervención utilizando el Modelo IDEA. Hacia la Gestión estratégica y la Generación de valor*, se diseñó como respuesta didáctica a la asignatura de ***Proyecto de Intervención***, Proyecto de Intervención I, II, III y IV, que forma parte del mapa

---

investigación organizacional, se analizan y evalúan las organizaciones con propósitos de investigación o de intervención (Krieger, 2005, p. 432).

11 El diagnóstico organizacional se divide en dos perspectivas principales, una funcional y otra cultural, cada una con sus propios objetivos, métodos y técnicas. Son complementarias entre sí y dan origen a estos dos tipos de diagnóstico. https://www.infosol.com.mx/miespacio/el-diagnostico-organizacional-elementos-metodos-y-tecnicas/

Meza (2020), expone que el **diagnóstico funcional** (su nombre debido a una perspectiva funcionalista) examina principalmente las estructuras formales e informales [...], las prácticas [...], que tienen que ver con la producción, la satisfacción del personal, el mantenimiento de la organización, y la innovación. Usa un proceso de diagnóstico en el cual el auditor asume la responsabilidad casi total del diseño y la conducción de este (objetivos, métodos y la interpretación de los resultados); mientras que el **diagnóstico cultural** es una sucesión de acciones cuya finalidad es descubrir los valores y principios básicos de una organización, el grado en que éstos son conocidos y compartidos por sus miembros y la congruencia que guardan con el comportamiento organizacional. https://www.infosol.com.mx/miespacio/el-diagnostico-organizacional-elementos-metodos-y-tecnicas/

12 https://bivir.uacj.mx/Reserva/Documentos/rva200577.pdf.

13 Pensamiento científico.

curricular del **Doctorado en Dirección Estratégica y Gestión de la Innovación**; y en el que se expone y desarrolla el Modelo IDEA

que, de acuerdo con su estructura, orden y contenido, se presenta en forma secuencial en módulos. No obstante, el modelo puede aplicarse desde el nivel medio superior.

Cada módulo corresponde respectivamente a Proyecto de Intervención I, II, III y IV; asimismo, y cada capítulo corresponde a un módulo.

Para el cumplimientos de los objetivos de la asignatura, el alumno requerirá de su bagaje de conocimiento (*stock de conocimientos*) y se espera que este diseñe un proyecto en el campo de las ciencias de la administración o en la sociología de las organizaciones, donde demuestre sus competencias como experto en resolver problemas de gestión estratégica susceptible de intervención en un ámbito específico de una organización ya sea pública, privada o una ONG, orientado a provocar resultados de alto valor agregado al mejorar el desempeño en la gestión empresarial y de su talento humano que impacte en su rentabilidad, eficiencia y permanencia.

A manera de ejemplo, el alumno podría intervenir en ámbitos como: el comportamiento organizacional, de sistemas sociotécnicos, de gestión (management), de tecnologías administrativas y de gestión, de diseño y evaluación organizacional; de marketing, de recursos humanos, de trabajo con grupos, de formación de equipos, desarrollo del liderazgo; así como de análisis comparado (benchmarking) de cambios culturales: en etapas de fusiones o de empresas privatizadas, de planeamiento estratégico; etapas de cambio y transformación organizacional, etcétera.

Estos proyectos pueden realizarse como miembros de las organizaciones, como consultores independientes, como parte de empresas consultoras, como miembros de equipos de *investigación-intervención* y asistencia técnica de universidades, donde en el diagnóstico se identifican problemas descritos por los clientes internos o externos (stakeholders[14]), buscando comprender sus causas y proponiéndoles alternativas de soluciones.

Aunque el proyecto se **lleva a cabo y evalúa** de manera **individual**, en las organizaciones es común que se trabajen en equipos integrados de modo interdisciplinario , y no sólo de las ciencias sociales, sino también de ciencias duras y tecnologías según el perfil del propio proyecto.

A fin de cuentas, se espera que el interventor ayude a las organizaciones a dimensionar sus oportunidades, sus desafíos, sus fortalezas y a superar sus debilidades en busca de mejorar la eficacia y el desempeño organizacional y a evaluar si pueden acometer las transformaciones que requieren, en qué tiempos, mediante qué pasos, con qué estilo de liderazgo y con qué entrenamiento para el cambio en los equipos de trabajo. Al realizar proyectos de intervención se suele también ayudar a las organizaciones a implantar los cambios diseñados facilitando su ejecución, realizando el segui-

---

14 Cualquier grupo o individuo que puede afectar a la consecución de los objetivos de la organización, o que puede ser afectado por dicha consecución. (Freeman, 1984). Un stakeholder es el público de interés para una empresa que permite su completo funcionamiento. Con público, me refiero a todas las personas u organizaciones que se relacionan con las actividades y decisiones de una empresa como: empleados, proveedores, clientes, gobierno, entre otros (https://rockcontent.com/es/blog/que-es-un-stakeholder/).
Como enfoque de administración de los stakeholders, Weiss (2006 en López-Osuna, 2016) describe la relación entre ellos como un Ganar-ganar siempre que se tomen las decisiones morales que beneficien a todos los participantes dentro de las restricciones de la justicia, la equidad y los intereses económicos (Jones, 1995).
Weiss (2006, citado en López Osuna, 2016 también menciona que el proceso estratégico centrado en los grupos de interés o *Stakeholders Strategy Process* (SSP) es un modelo de dirección estratégica que sirve para analizar la importancia de dichos grupos en la consecución de los objetivos marcados; así como los riesgos de no alcanzar éstos por la influencia de aquellos.

miento de estos, así como su impacto interno y externo, además de recomendar los ajustes necesarios basándose en procesos de retroalimentación y reflexión continua.

El documento contiene cuatro capítulos que corresponden, a su vez, a los cuatro módulos que son secuenciales, con el propósito de hacer más sencilla la comprensión y aplicación del Modelo IDEA.

En el Capítulo I. Proyecto de Intervención I; se inicia con la etapa del Planteamiento del problema de intervención desde la Identificación del problema de intervención, donde se conocen los Antecedentes y Contexto del fenómeno a estudiar (componentes del marco referencial-contextual), se logra delimitar la Unidad de observación y se inicia la con primera parte del Diagnóstico Situacional (Diagnóstico General); y termina por encontrar los elementos de la Situación crítica "general".

En el Capítulo II. Proyecto de Intervención II, se constituye el marco teórico-conceptual **a partir** de las palabras *clave*, también llamadas situaciones críticas "generales" que el diagnóstico del módulo anterior permitió conocer y comprender (por lo que una situación general 1 se identifica con la palabra clave 1). Al mismo tiempo, se continúa con el recorrido del Diagnóstico Situacional, pero ahora en su segunda parte (Diagnóstico específico); con los resultados del diagnóstico (dx) se ha encontrado fenómeno principal de estudio; en otras palabras, la problemática a intervenir o situación crítica específica (dicha *situación* es comúnmente la *palabra clave* que se ha elegido para continuar con el proyecto, debido a que ya fue evaluada por medio de los estudios de factibilidad necesarios). Con las características descritas y evaluadas del problema a intervenir, se cuenta con los elementos para hacer el cuestionamiento central de intervención (elaboración de la Pregunta principal de intervención), así como del Objetivo general. Estos últimos son la *antesala* de la metodología de intervención.

El Capítulo III. Proyecto de Intervención III, está pensado para que se diseñe la metodología de intervención; aquí es donde se elige el enfoque o perspectiva paradigmática y los métodos, técnicas, e instrumentos a utilizar. Es esta una de las actividades fundamentales de todo proyecto, debido a que un diseño metodológico adecuado facilita la implementación de la intervención y beneficiará más adelante el proceso de evaluación, análisis, discusión e interpretación de resultados.

Es precisamente en el Capítulo. Proyecto de Intervención IV que evalúan, analizan, interpretan y discuten los datos que resultaron de la aplicación de los instrumentos para recoger la información; no sin antes se lleve a cabo una nueva revisión del **diseño** de intervención que se realizó para confirmar, modificar o eliminar lo que fuera necesario.

Justamente la evaluación y análisis de resultados se hace considerando los **objetivos de intervención**, los **referentes contextuales** y **teórico-conceptuales**; algunos puntos que se examinan en este módulo son el impacto en el entorno y/o en los sujetos intervenidos, el grado de logro de las acciones emprendidas como parte de las medidas de control y si la intervención solucionó parcial o totalmente la problemática.

Para terminar, se elaboran las conclusiones y recomendaciones de la intervención, en la que se destacan aspectos como las principales respuestas a las preguntas iniciales, los alcances de los **resultados globales** con relación a lo esperado, las consecuencias más destacadas de haber atendido la situación crítica que se pretendía solucionar; además de las contribuciones del interventor a la mejora de la problemática y la valoración del papel de este en la transformación de la realidad atendida; así como las propuestas de acciones específicas con base en las consecuencias y las posibles nuevas intervenciones.

El manual también contiene en cada capítulo *ejercicios* a manera de *tablas* para que el interventor los realice con el propósito de facilitarle la construcción de cada uno de los siete pasos del Modelo IDEA.

Finalmente, se menciona que como parte de la investigación que se realiza en conjunto con la intervención, se pueden desarrollar las siguientes líneas de investigación:

- Gestión y competitividad estratégica
- Cultura digital en la empresa
- Emprendimiento e innovación
- Procesos de trabajo y salud ocupacional

Y, alineado al objetivo general de intervención, se sugieren las líneas de intervención que a continuación se mencionan:

- Orientada a provocar resultados de alto valor agregado
- Mejorar el desempeño en la gestión empresarial que impacte en la rentabilidad, en la eficiencia o en la permanencia

CAPÍTULO I. PROYECTO DE INTERVENCIÓN I

"Lo que no se define no se puede medir. Lo que no se mide, no se puede mejorar. Lo que no se mejora, se degrada siempre".
William Thomson Kelvin (1824-1907)[15]

EL MODELO IDEA

El **Modelo IDEA** se diseñó como una metodología de intervención para facilitar que los interesados recorran el **camino o proceso** hacia la realización de intervenciones en diversas unidades de observación (ya sea en casos, grupos o comunidades), con la finalidad de **corregir**, **prevenir** o **desarrollar**:

- Los procesos
- Los productos
- Los servicios en cualquier ámbito social, institucional, organizacional, etc.

Al considerar el pensamiento de Bernárdez (2007 en Mendoza Doria, 2018, p. 73-85), cuando refiere que "[...]los modelos son métodos y herramientas que permiten analizar, diseñar e implementar sistemas de performance organizacional, construyendo el camino de mejora desde adentro", se entiende por qué el modelo IDEA procura la transformación de la realidad de la unidad de observación "desde adentro", y se centran en el "hacer".
El modelo consiste en una serie de etapas y pasos de planificación de acciones articuladas que permiten que el ente que se intervendrá

15 Este físico y matemático británico, hace recordar que" [...]la medición es imprescindible en los sistemas de gestión"; y la gestión del negocio no es la excepción, ya que en ella "[...]también es fundamental [..]la aplicación de los procesos de mejora continua. https://www.cab.cnea.gov.ar/ieds/index.php/34-institucional/noticias/374-lo-que-no-se-mide-no-puede-mejorarse#:~:text=William%20Thomson%20Kelvin%20(Lord%20Kelvin,mejora%2C%20se%20degrada%20siempre%22.

(unidad de observación) alcance un nivel óptimo de funcionamiento o desarrollo.

Las **etapas del modelo son cuatro** y funcionan como un proceso modular de intervención para la construcción del proyecto, fueron adaptadas de la *metodología clásica de investigación*, de las *etapas de la metodología de solución de problemas* (como el ciclo de desarrollo de programa (ver figura 4), y la *metodología clásica* de la maestra Guadalupe Ávila Cedillo (2019, p. 7), ver figura 1; estas son:

I. Planteamiento del Problema de Intervención
II. Metodología
III. Implementación de la Intervención
IV. Análisis, discusión e interpretación de resultados

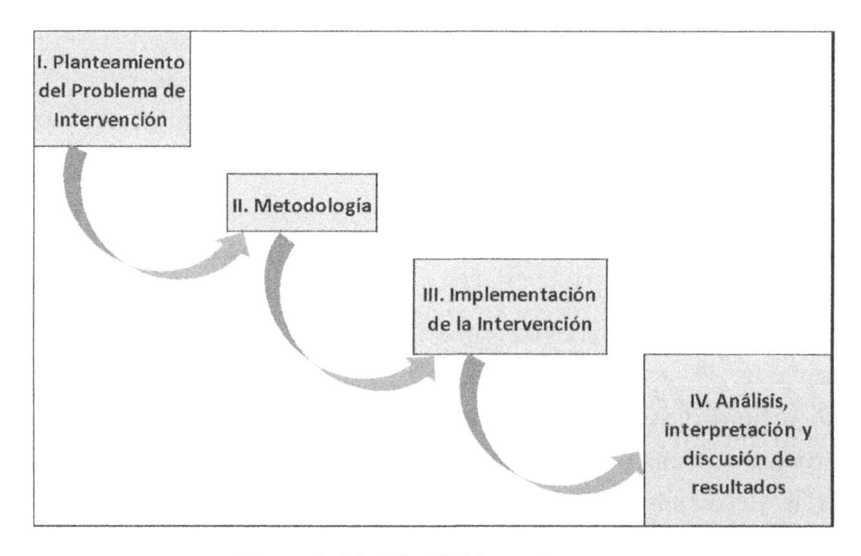

Figura 1. Modelo IDEA. sus 4 etapas.
Fuente: Adaptación de la metodología clásica de investigación, de las etapas de la metodología de solución de problemas y la metodología clásica.

Cada una de las etapas del modelo forma un *conjunto modular de acciones* que se dividen en «siete pasos» (ver figura 2), cuyas primeras letras de cada uno de ellos forman la palabra "IDEA"[16], dando así nombre al modelo; enseguida se mencionan cada uno de ellos:

1. Identificación del Problema (**I**)
2. Diagnóstico Situacional (**D**)
3. Justificación o Defensa (**D**)
4. Delimitación del problema de intervención (**D**)
5. Diseño metodológico (**D**)
6. Ejecución del plan de intervención (**E**)
7. Análisis, evaluación y discusión de los resultados (**A**)

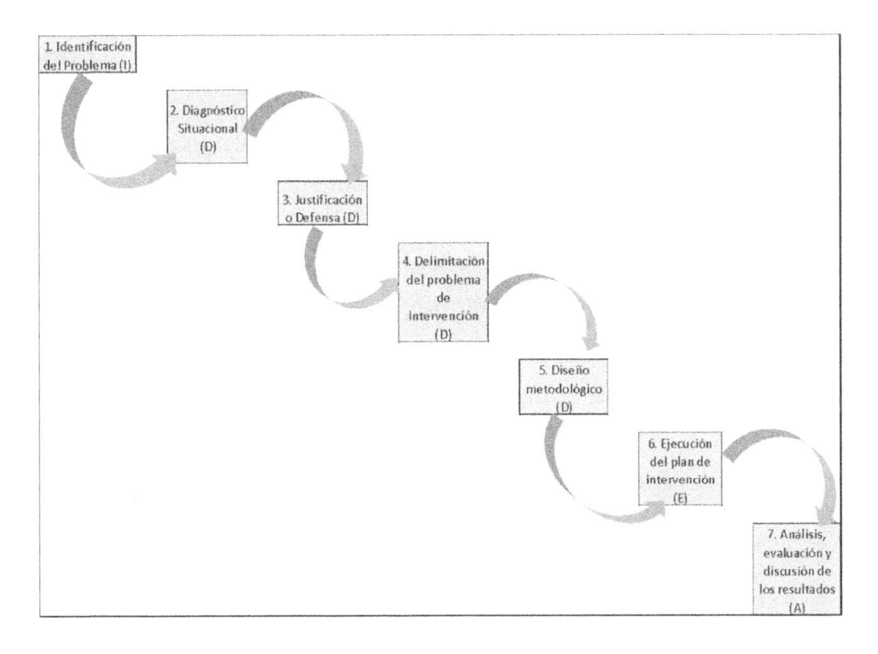

Figura 2. Modelo IDEA. Los 7 pasos.

Como se puede observar en la figura 3, los primeros cuatro pasos constituyen la etapa I. Planteamiento del Problema de Intervención;

16 Si bien, el acrónimo debería escribirse como: "IDDDDEA", se ha elegido escribirlo solo como "IDEA" porque el autor considera que así es más fácil recordarlo.

el paso número cinco. Diseño metodológico (D), corresponde a la etapa II. Metodología y el número seis. Ejecución del plan de intervención (E) a la etapa III. Implementación de la Intervención. El proceso termina con el paso siete. Análisis, evaluación y discusión de los resultados (A) de la etapa IV. Análisis, discusión e interpretación de resultados. Una vez recorrido las 4 etapas, se está listo para realizar las **conclusiones y recomendaciones** finales; y solo es hasta que se han elaborado cuando el **Ciclo del Modelo IDEA** finaliza.

Dado que la *intervención* se suele presentar como una *serie de etapas fijas y lineales*, se ha de tener cuidado de que el *ciclo del modelo IDEA* no lo sea, ya que ni cercanamente es rígido, más bien es tan flexible que el interventor podría (por no decir "debería") *regresar* a los pasos y/o etapas anteriores cuantas veces piense que es necesario para ajustar, modificar o incluso cambia lo que ya se había establecido, ello con la finalidad de ir construyendo una intervención más adecuada a los requerimientos que se van descubriendo conforme se avance en el proceso de intervención; esto permite tomar *caminos ligeramente diferentes*, algunos de ellos pueden ser:

- **Intervención como un proceso circular**: la interpretación conduce a las *primeras etapas* de la guía de construcción.
- **Intervención cíclica**: puede comenzar en cualquier punto, es un proceso continuo que tal vez obligue a replantear su práctica y llevará a un punto de partida diferente.

Aunque el modelo se ha diseñado como **un proceso circular**, el interventor puede, sin dificultad, tomar la decisión de realizar una **Intervención cíclica**, o recorrer el camino que crea más pertinente cuantas veces sea necesario hacia la resolución de las problemáticas que vayan surgiendo.

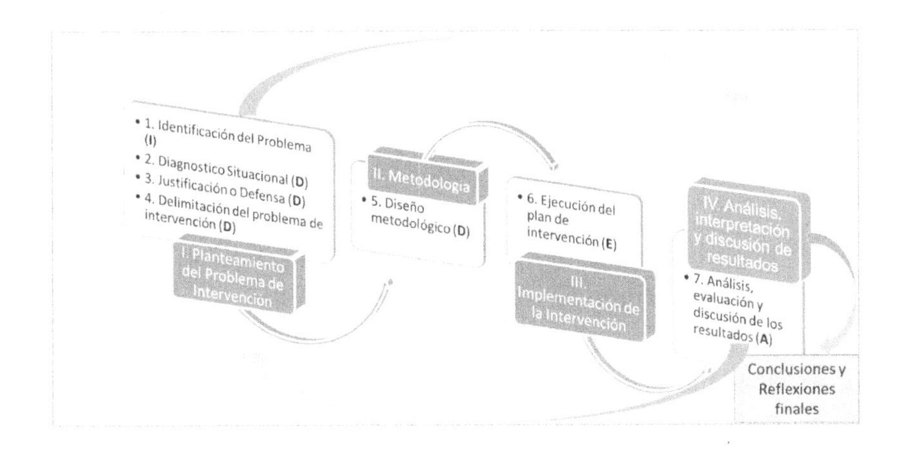

Figura 3. Ciclo del Modelo IDEA. Las 4 etapas del Proceso con sus respectivos pasos.

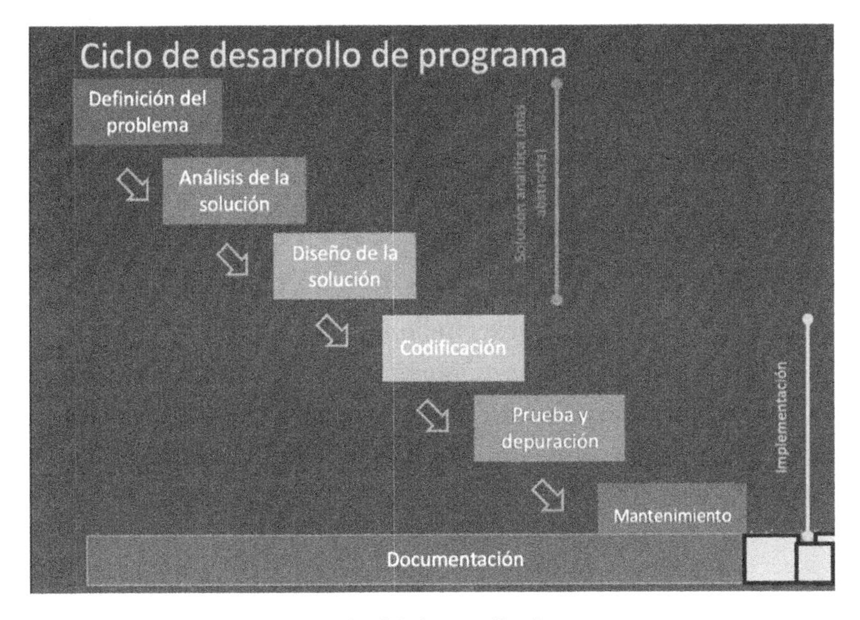

Figura 4. Ciclo del desarrollo de programa

Fuente: https://portalacademico.cch.unam.mx/cibernetica1/metodologia-resolucion-problemas/etapas-solucion

I. PLANTEAMIENTO DEL PROBLEMA DE INTERVENCIÓN[17,18] (fase de diagnóstico)

- En el planteamiento del problema (ver tabla 18) es la donde inicia el proceso de intervención, por lo que corresponde a la primera etapa del Modelo IDEA; esta etapa se constituye por los primeros cuatro pasos del modelo:

  1. Identificación del Problema (**I**)
  2. Diagnóstico Situacional (**D**)
  3. Justificación o Defensa (**D**)
  4. Delimitación del problema de intervención (**D**)

- En esta fase se procura cimentar el proyecto en un marco contexto-teórico-conceptual como parte del diagnóstico el situacional en que se identifique con exactitud la *situación crítica* (problema) como cimientos para la construcción de las preguntas y objetivos de intervención[19].

1.- IDENTIFICACIÓN DE LA PROBLEMÁTICA DE INTERVENCIÓN (I). «Descripción»

En la *Identificación de la problemática de intervención (I)*, «paso uno», se entremezclan los dos primeros pasos del Modelo IDEA; se inicia con la descripción de los Antecedentes de la organización y tiene lugar el Diagnóstico Situacional (D), «paso dos».

---

17 La función del problema de *investigación-intervención* es conocer las dimensiones del objeto de *estudio-intervención*.

18 Considera un enfoque sistémico (Bertalanffy, 1928, 1968; Senge, 2010).

19 Todo proyecto de intervención parte de un sistema de creencias (supuestos de partida) que, en este caso, surgen a partir de la descripción de tres preguntas (Guba, 1990, citado en Gallardo, 2017): a) Pregunta ontológica ¿Cuál es la naturaleza de lo que conocemos?; b) pregunta epistemológica ¿De qué naturaleza es la relación entre el investigador-interventor y aquello que desea conocer?; c) pregunta metodológica ¿De qué manera se deberá proceder para acceder al conocimiento? Retomar en los incisos 5.1 y 5.2.

1.1 Antecedentes[20] (*marco referencial / contextual*[21], ver anexo 8). Toda situación problemática tiene una historia; es decir, antecedentes que condujeron a su producción. Los rasgos que se describen deben estar alineados con el planteamiento del problema y los objetivos, por lo que hay que **elegir solo aquellos que presenten información relevante**.

1.1.1 Historia de la organización. Sus orígenes, fundación, filosofía y referentes de la organización. Se relata cómo surgió' la organización, su filosofía, cuáles son sus objetivos y metas. Se **elige solamente la información relevante** para comprender el problema.

1.1.1.1 Filosofía de la organización. Se incluye la **filosofía** de la organización Visión (¿Adónde queremos llegar?)[22], Misión[23] (¿Quiénes somos?) y Valores?

1.1.1 2 Objetivos y **metas** generales de la organización. Se ubican en la *Planeación Estratégica*[24].

20 Toda situación problemática tiene una historia; es decir, antecedentes que condujeron a su producción Los rasgos que se describen deben estar alineados con el planteamiento del problema [...] por lo que hay que elegir sólo aquellos que presenten información relevante (Cabello Cortés, 2022).

21 Contesta a la pregunta ¿a dónde ubico mi *investigación-intervención*?

22 Exposición clara que indica hacia dónde se dirige la empresa a largo plazo y en qué se deberá convertir, tomando en cuenta el impacto de las nuevas tecnologías, de las necesidades y expectativas cambiantes de los clientes, de la aparición de nuevas condiciones del mercado, etc. (Collins et al, 2004).

23 Es la razón de ser de la existencia de una empresa y es influenciada en momentos concretos por algunos elementos, como la historia de la organización, las preferencias de la gerencia y/o propietarios, factores externos o del entorno, recursos disponibles (Collins et al, 2004).

24 Establecer las metas puede llegar a ser sencillo. El verdadero desafío es definir la forma en cómo llegar a ellas. La planeación estratégica es una herramienta de gestión, que permite establecer el proceso mediante el cual las empresas toman decisiones, delimitan plazos y asignan sus recursos para el logro de los objetivos.

Este proceso requiere del involucramiento y compromiso de todos en la búsqueda por alcanzar las metas establecidas, guiados por una misma línea de trabajo. Si bien el desarrollo del plan es una tarea que debe liderar una persona asignada por la dirección de la empresa, la ejecución y seguimiento es tarea de todos los integrantes, [dado] que se busca identificar cada problema y oportunidad de la empresa a nivel general. (Haydee Jaime). https://www.holmeshr.com/blog/planeacion-estrategica/

Tipos de planificación: Estratégica, táctica u operativa. https://www.caracteristicas.co/planificacion/

1.1.1 3 Referentes Generales del negocio. Se describen y se explican sus expectativas[25] y perspectivas[26]: quién es y cómo piensa la organización, cuál es su propuesta de valor, cómo está organizada, a cuántas personas da trabajo, en cuál mercado(s) compite, etc.:

- El **concepto** de negocio. Describe con precisión las *cualidades* únicas que posee la *idea de negocio* y lo que lo hace *diferente* a otros. El **Concepto de negocio** corresponde al ***producto básico***, por lo que no cambia con el tiempo, aunque si puede evolucionar. Es el principal elemento del *modelo de negocio* de la organización. Es importante resaltar que, si evoluciona el ***concepto***, el ***modelo*** podría hacerlo también como consecuencia de ello.
  - Así como el **Producto** o **Servicio** es *el medio a través del cual* una empresa puede satisfacer las necesidades del cliente (se trata de la materialización o respuesta que una empresa oferta para satisfacer las necesidades reales de los clientes), este tiene tres niveles:
  - Producto Básico[27]. Describe el de la organización.

---

25 Posibilidad razonable de que algo suceda. https://dle.rae.es/expectativa

26 Idea de la posición, volumen y situación que la organización ocupan en el mercado (del autor, 2022).

27 El **producto básico**, como parte del **concepto de negocio**, es el primer nivel de un producto y es el bien o servicio que cubre una necesidad. Se refiere al producto intrínseco que cubre la necesidad. Es lo que representa el ***genérico*** de un satisfactor. Sin embargo, aun en este nivel mínimo de producto, la empresa debe saber que cada consumidor requiere un producto que cubra su necesidad, pero esta necesidad es diferente en cada uno. Por ejemplo, un cereal, si son hojuelas de maíz; éstas servirán para cubrir la necesidad del hambre del consumidor.

El producto real es el segundo nivel en la composición de un producto y se refiere a la *forma* como el producto se *presenta* al mercado. Esto implica que en el mercado deja de ser un genérico para adquirir un nombre propio y unas características que lo harán distinguirse de los otros competidores. En este se incluyen elementos como el embalaje, la marca, el funcionamiento y el servicio. Aparte del producto básico incluye una serie de beneficios o atributos que recibe el consumidor.

El **producto** aumentado es el nivel de un producto donde se ofrece al consumidor servicios o beneficios adicionales al producto básico y real. Este contiene un conjunto de *servicios y funciones adicionales* que **dan un valor agregado** al bien o servicio. Mientras más variables se le agrega a un producto será más fácil venderlo, porque cuando el consumidor lo compara con las propuestas de la competencia, lo percibe como algo superior a lo esperado (Quiroa, 2019).

- Producto Real. Describe el de la organización.
- Producto Aumentado. Describe el de la organización.

- La **estructura** del negocio. En ella se identifica tanto el ***tipo de pensamiento organizacional*** (¿Cómo pensamos? ¿Cómo estamos organizados?) como la titularidad de un negocio, así como para localizar en cuáles de sus departamentos se desarrollan las actividades de control y mando.
  - Es una forma de jerarquización y reparto de responsabilidades y deberes.
  - En ella se plasman y dividen las múltiples acciones o actividades que realizan de manera cotidiana para, de este modo, ser capaces de delimitar sus áreas, establecer cadenas de mando o responsabilidad y lograr una mayor cooperación y coordinación que les ayude a mejorar su labor en conjunto[28].
- Los **principales ejes de desarrollo estratégicos**[29],[30,31].

28 Es una herramienta útil y necesaria a la hora de fijar una estrategia empresarial. Es, en otras palabras, la división de todas las actividades de una empresa. Dichas labores se agrupan para formar áreas o departamentos, estableciendo autoridades que, a través de la organización y coordinación, buscan alcanzar determinados objetivos. La estructura debe tener la capacidad de adaptación a los cambios y evoluciones que la realidad empresarial exige en el mundo actual, para poder seguir aspirando a la consecución de beneficios y buscar el crecimiento del negocio (Sánchez Galán, 2022).

29 Si son más de 3 o 4, se revisa la posibilidad de "categorizarlos" de acuerdo con su "importancia jerárquica"; una vez definidas las categorías, se incluyen aquellos ejes que se consideran también relevantes y se procede con su análisis, por ejemplo: el objetivo al que corresponde (ya sea táctico u operativo) el nivel de avance, dificultades y aciertos con las que han encontrado, etc.

30 El concepto de estrategia se originó en el campo militar. Es probable que el primer texto sobre el tema sea "El arte de la guerra", de Sun Tsu (1963) escrito aproximadamente en el año 500 a.C. La palabra estrategia viene de *strategos* que en griego significa general. En ese terreno se le define como "[...] La ciencia y el arte del mando militar aplicados a la planeación y conducción de operaciones de combate en gran escala."

En tiempos más recientes, Von Newman y Morgerstern en el libro *La teoría de los juegos* introdujeron temas de administración, economía, mercadotecnia, etc. Como se observa, solo en una época bastante reciente este término se ha aplicado a otras actividades humanas y en particular a las actividades de negocios. Su significado ha evolucionado de tal forma que ahora es parte de la forma de dirigir las organizaciones.

31 Otra forma de clasificar a las estrategias es la que señalan Mintzberg y Quinn (1988), en sus 5 "P" (por su origen inglés) para las estrategias: 1. Plan (Plan): Curso de acción conscientemente determinado. Guía o conjunto de guías para enfrentar una situación, elaboradas con antelación a las acciones a las cuales serán aplicadas y desarrolladas de manera consciente y con un propósito determinado. 2. *Ploy* (Estratagema o maniobra): Forma específica propuesta para superar a un oponente o competidor. 3. *Pattern* (Patrón): Regularidades del comportamiento que ocurren a la

Descríbelos suficientemente y relaciona cada uno de ellos con el objetivo(s) de la planeación estratégica (1.1.1.2 **Objetivos** y **metas** generales), así como a sus metas, que le corresponde.

- La estrategia es la adaptación de los recursos y habilidades de la organización al entorno cambiante, aprovechando sus oportunidades y evaluando los riesgos en función de objetivos y metas.
- Es la *Lógica* "[...] con la cual una organización espera crear valor para el cliente y alcanzar relaciones rentables con él" (Kotler et al, 2012).
- Peter Drucker define a la estrategia como una respuesta a dos preguntas:
- ¿Qué es nuestro negocio?
- ¿Qué debería ser?

- La cultura y clima organizacional (**Comportamiento** de la organización)
- **Segmento**[32] **y posicionamiento de mercado**. Describe y analiza el macro/micro segmento y posicionamiento de mercado, así como su ventaja competitiva para determinar la *propuesta de valor* (diferenciación) de la organización.
  - El **macrosegmento** se apoya en 3 pilares que interviene en la división productos-mercados.

1.-El servicio aportado por el producto.

2.-Las tecnologías existentes.

3.-Los diferentes grupos de compradores que forman parte del mercado total.

práctica sin estar preconcebidas. 4.- *Position* (Posición): Forma de ubicar a la organización en el entorno. Representa una condición mediadora o calce (match) entre la organización y su entorno. 5. *Perspective* (Perspectiva): Forma particular inherente a la organización, de percibir el mundo. La estrategia es a la organización lo que la personalidad al individuo. http://negociosyemprendimiento.com/que-es-una-estrategia-y-como-se-elabora/

32 Un grupo de [clientes] que responde de manera similar a un conjunto dado [específico] de actividades de marketing (Kotler et al, 2012).

- **Microsegmentación[33].** Consiste en analizar en el interior de cada producto-mercado la *variedad* de las *ventajas* buscadas por los compradores potenciales y de esta forma constituir segmentos que reagrupan a dichos clientes[34] y organizaciones que tengan las mismas expectativas. Con esta información, se describe el o los segmento(s) en los que se compite.
- **Tipología y perfil de los segmentos**[35]. Estos se definen como parte de la microsegmentación (escala de valores, necesidades satisfechas e insatisfechas, etc.), y en función de diferentes tipos de criterios[36]:
  - Segmentación geográfica[37]
  - Segmentación demográfica[38]

---

33 Aunque las organizaciones deciden a quién ofrecen sus servicios/productos, no es que tengan "el poder" de dividir el mercado en *segmentos* (segmentación de mercado); los clientes son lo que en realmente "si tienen el poder" de *afiliarse* a un grupo (s) en el que *crean* que serán satisfechos sus deseos (los beneficios que espera obtener). La organización solo elige los segmentos que perseguirá (mercado meta).
Sin embargo, las organizaciones saben que no es posible servir a todos los clientes, Al tratar de servir a todos los clientes, es muy probable que no sirvan a ninguno bien. En vez de eso, la organización debe hacer el esfuerzo por llegar sólo a los clientes que es capaz de atender bien y de manera redituable (deben enfocar sus recursos en los clientes a quienes pueden servir mejor y con mayor rentabilidad).
34 De acuerdo con "las figuras que intervienen en el proceso de compra", se distingue "cliente" y consumidor"; el primero es aquel al que se dirige el esfuerzo de marketing, el segundo es quien utiliza el producto/servicio (del autor, 2022).
35 Para poder **aplicar los criterios de segmentación de mercado**, se deben tener en cuenta las cuatro características que definen a los segmentos: 1. Medible: el tamaño del grupo debe poder ser medido y cuantificado, 2. Accesible: la empresa debe poder tener fácil disponibilidad del grupo con fines de medición, observación, análisis, pruebas y comercialización, 3. Sustancial: el segmento ha de ser lo suficientemente grande para que pueda generar la rentabilidad deseada, 4. Accionable: el segmento debe ser operativo para la empresa y permitir que se le pueda aplicar y dirigir campañas y estrategias (Rodríguez-Martos, 2019). https://blog.enzymeadvisinggroup.com/criterios-de-segmentacion-de-mercado
36 Para más información revisa los criterios de segmentación de mercado propuestos por Rodríguez-Martos (2019). https://blog.enzymeadvisinggroup.com/criterios-de-segmentacion-de-mercado
37 Se refiere al entorno y el espacio físico en el que se desenvuelve el público objetivo. Con ella se toman en cuenta las siguientes variables: el país, estado, ciudad, región y clima en el que se encuentra la audiencia. Con el crecimiento de los consumidores internautas, esta segmentación cada vez tiene menos relevancia, ya que ahora los productos están al alcance de un smartphone. https://www.eleconomista.com.mx/empresas/tipos-de-segmentacion-de-mercado-20200217-0073.html
38 Permite a las empresas conocer aspectos específicos de su audiencia. Mientras más concreto, más fácil será adquirir clientes potenciales. Las variables que toma en cuenta esta segmentación son: la edad, el género, estado civil, preferencias sexuales, nivel educativo, profesión, nivel socioe-

- Segmentación psicográfica[39]
- Segmentación conductual[40]

- **Posicionamiento[41]**. Cuando se habla de estrategia de posicionamiento como concepto, se debe tener en cuenta que se están diseñando y coordinando tres claves estratégicas del negocio[42]: el posicionamiento de la empresa, el del producto y el posicionamiento ante el cliente.
- **Propuesta de valor**. La propuesta de valor "[...] es el conjunto de beneficios que promete entregar a los [clientes] para satisfacer sus necesidades/aspiraciones. Las propuestas de valor distinguen a una organización/marca de otra" (Kotler et al, 2012). Para ello, la organización

---

conómico, vivienda, cultura y religión. https://www.eleconomista.com.mx/empresas/tipos-de-segmentacion-de-mercado-20200217-0073.html

39 La segmentación con mayor relevancia, ya que analiza el comportamiento, las necesidades y preferencias de los consumidores. Cada vez más, las audiencias buscan productos que les regalen experiencias o que se alineen con sus ideales. Sus variables son: la personalidad, estilo de vida, valores, actitudes e intereses. https://www.eleconomista.com.mx/empresas/tipos-de-segmentacion-de-mercado-20200217-0073.html

En este caso, las redes sociales y el geomarketing se convierten en la herramienta más importante de las empresas. Al estudiar a su público, es más sencillo desarrollar estrategias publicitarias que muevan sus emociones. https://www.eleconomista.com.mx/empresas/tipos-de-segmentacion-de-mercado-20200217-0073.html

40 Esta segmentación muestra la conducta y patrones de consumo de los usuarios, su lealtad a la marca, sensibilidad al precio, la frecuencia u ocasión de compra y los beneficios que buscan al elegir un producto. Con estos datos es más sencillo perfilar el bien o servicio antes de lanzarse al mercado.

41 El posicionamiento se constituye de dos aspectos primordiales:
1. *Lugar* que éste ocupa en la mente de los clientes, en relación con los competidores, por lo que se buscan desarrollar *posiciones únicas* de mercado para la organización y los productos/servicios (si se percibe que cierto producto es exactamente igual a las demás en el mercado, los clientes no tendrían razones para comprarla). 2. Lograr que este *lugar* (que ocupa la organización y los productos/servicios) sea claro, distintivo y deseable en la mente de los clientes meta, en relación con los productos competidores (debido a ello es que se planean *posiciones* que distingan a sus productos de los competidores y que les den la mayor ventaja estratégica en sus mercados meta).

42 **a) Posicionamiento de la empresa.** El marketing es un proceso de construcción de mercados y posiciones, no de promoción y publicidad solamente. El marketing debe ser cualitativo y no debemos olvidar que muchas de las decisiones de los clientes tienen que ver con el servicio, la confianza, la imagen, etc. **b) Posicionamiento del producto.** La posición en el mercado del producto debe ser significativa y para ello debemos centrarnos en factores intangibles del posicionamiento tales como el servicio, la calidad, el liderazgo, la imagen, etc. (debemos buscar lo intangible y ser buenos en ello). Debemos dirigir nuestros productos a un público específico y ser excelentes en él, estos ayudarán a entender mejor a nuestros clientes, a tener menos competencia y a conocerla mejor. **c) Posicionamiento ante el cliente.** Fijando la vista en el cliente, incidimos en la importancia de un valor clave en todo el proceso de posicionamiento: la credibilidad. Este concepto va asociado a otros de signo igualmente positivo como son la confianza, el prestigio, la fidelidad, etc.

también debe decidir cómo atenderá a los clientes meta, es decir, de qué forma se *diferencia* y se posiciona a sí misma en el mercado.
    - Se refiere a la creación de valor *para el cliente* y al establecimiento de relaciones redituables con el mismo.
    - La diferenciación y posicionamiento ayudan a contestar la pregunta: ¿Cómo daremos un mejor servicio a los clientes meta? Para ello se establece una propuesta de valor que expone con detalle los valores que la organización entrega para ganar clientes meta.
- La **rentabilidad del negocio**. Las razones financieras más relevantes (de liquidez, de endeudamiento, de eficiencia, de rentabilidad, de mercado) que ayuden a la profunda comprensión de su situación actual.
    - En este punto se solicita la identificación clara, precisa y lo más profundamente posible, de la situación financiera del negocio; para ello, se requiere incluir cifras, números, porcentajes, estimaciones, proyecciones, etc.
- La **naturaleza** y **estructura del *mercado***. Dentro de la naturaleza del mercado, se debe analizar (los aspectos que se repiten en otros puntos se desarrollan en aquellos):
    - Situación y evolución de los segmentos de mercado,
    - Tipología y perfil de los segmentos existentes en dicho mercado (escala de valores, necesidades satisfechas e insatisfechas, etc.),
    - Competidores por segmentos y sus participaciones de mercado,
    - Cambios producidos en la demanda,
    - Unidad de toma de decisión (la definición de las personas que intervienen en este proceso, sus roles y motivaciones).
    - El ***tipo* del mercado**[43] en el que se participa. El mer-

43 Desde el punto de vista de la **economía** un mercado es el proceso donde interactúan las fuerzas

cado en marketing se entiende como el conjunto de compradores reales y potenciales de un bien o servicio (un grupo de personas u organizaciones que tienen una necesidad que cubrir, poder adquisitivo y voluntad de querer comprar un producto.

- Describe los *tipos* de mercado que correspondan:
- Por sector (transporte, salud, educativo, etc.),
- Desde el punto de vista Geográfico[44],
- De Cliente: de consumo[45], industrial[46], del distribuidor o *revendedor*[47], de Gobierno[48], internacional[49]

---

de la oferta y la demanda para establecer los precios de equilibrio. O bien el proceso donde se realizan intercambios y transacciones favorables para las partes que interactúan. El mercado dependerá del número de compradores dispuestos a comprar los productos que ofrece la empresa, y la relación descrita se resuelve por medio del intercambio. Además, debe tener las siguientes condiciones: 1. Debe haber un conjunto de personas que necesite satisfacer ciertas necesidades o tener el deseo de cubrir una necesidad con un producto específico. 2. Que exista un bien o servicio que pueda satisfacer esas necesidades o deseos. 3. La presencia de empresas que ofrezcan o pongan a la venta los productos que pueden cubrir estas necesidades y deseos. Estos productos se ofrecen o venden a cambio de una cantidad de dinero (o especie) que el comprador tiene que estar dispuesto a pagar. https://economipedia.com/definiciones/mercado-en-marketing.html

44 Mercado Internacional, Nacional, Regional, de Intercambio Comercial al Mayoreo, Mercado Metropolitano, Mercado Local. Del libro "Mercadotecnia" de Fischer (s.f). https://www.promonegocios.net/mercado/tipos-de-mercado.html

45 Todas las personas que compran los bienes y servicios que vende una empresa para su consumo o uso personal [...] se caracteriza porque las personas compran con mucha frecuencia, pero compran en pequeñas cantidades [...] ha evolucionado mucho por las nuevas tendencias del mercado, las nuevas formas de comunicación y los cambios en los hábitos de consumo. https://economipedia.com/definiciones/mercado-en-marketing.html

46 Formado por todas las empresas o instituciones que demandan productos para producir otros bienes y servicios [los] productos [...] servirán como insumos para ofrecer otros satisfactores en el mercado [...] estos mercados los clientes compran en grandes cantidades y en periodos más espaciados de tiempo. https://economipedia.com/definiciones/mercado-en-marketing.html

47 Incluye a toda persona u organización que adquiere los productos que vende una empresa, con el propósito de revenderlos y obtener una ganancia. Es un mercado donde el producto comprado no sufre ninguna transformación, pero sí genera utilidades [...] los distribuidores compran en grandes cantidades y su frecuencia de compra se realiza en función de la demanda de sus consumidores. https://economipedia.com/definiciones/mercado-en-marketing.html

48 Incluye todas las instituciones del sector público que compran los bienes y servicios a las empresas productoras o distribuidoras para desempeñar sus funciones [...] pueden comprar para el consumo o inversión. Por la gran cantidad de funciones que tiene el gobierno, es un cliente muy importante para cualquier empresa. https://economipedia.com/definiciones/mercado-en-marketing.html

49 Es cualquier empresa del extranjero que importa los productos que ofrece y comercializa una empresa nacional. El fin de las empresas extranjeras es obtener productos de mejor calidad y precio [...] este mercado es más eficiente mientras existan menos barreras al comercio internacional y mientras mejores sean las relaciones entre países. https://economipedia.com/definiciones/mercado-en-marketing.html

- De la Competencia Establecida[50]
- Por el tipo de Producto[51]
- Por el tipo de Recurso[52]
- Los Grupos de No Clientes[53]

- El **valor total del mercado** donde se compite
- El **crecimiento esperado del segmento de mercado** en el que se compite
- Los **principales competidores**, así como su principal ventaja competitiva de cada uno de ellos, posicionamiento y porcentaje de participación de mercado.
- Y toda aquella información que se considere **relevante** para comprender el contexto, así como los ***Referentes Generales*** del negocio.
- El **modelo de negocio**[54]. Para finalizar con los ***Referentes Generales del negocio***, utiliza la información obtenida en este inciso (**1.1.1.3**), y describe el **modelo de negocio** de la organización; este "es la base sobre la que va a funcionar tu empresa"[55]; "**la manera** en que crea capta y entrega valor a sus clientes [...]No se limita a la estrategia para

50 De Competencia Perfecta, Monopolista, de Competencia Imperfecta (de Competencia Monopolística, de Oligopolio -Perfecto, Imperfecto-), de Monopsonio (Duopsonio, Oligopsonio, Competencia Monopsonista). Del libro "Mercadotecnia" de Fischer (s.f.). https://www.promonegocios.net/mercado/tipos-de-mercado.html

51 De Productos o Bienes, de Servicios, de Ideas, de Lugares. Del libro "Mercadotecnia" de Fischer (s.f.). https://www.promonegocios.net/mercado/tipos-de-mercado.html

52 De Materia Prima, de Fuerza de Trabajo, de Dinero. Del libro "Mercadotecnia" de Fischer (s.f.). https://www.promonegocios.net/mercado/tipos-de-mercado.html

53 De Votantes, de Donantes (Gobierno, Fundaciones, Individuos). Del libro "Mercadotecnia" de Fischer (s.f.). https://www.promonegocios.net/mercado/tipos-de-mercado.html

54 **Los tipos de modelo de negocio** más comunes son: **fabricación** (neumáticos Pirelli), **distribución** (Coca-Cola), **retail** (Walmart), **ecommerce** (Amazon), **suscripción** (Netflix o Spotify), **contratación pública** (grupo ICA), **publicidad** (**YouTube**), **patentes** (farmacéuticas), **franquicia** (KFC). Y sus principales beneficios son que puede resultar una **ventaja competitiva** frente a tu competencia, un **plan de crecimiento** establecido donde se tenga una reserva económica para poder expandirse, y si el negocio presenta la necesidad de buscar **inversores** será necesario conocer a fondo cada detalle para presentarlo, ya que tendrá que responder a cada una de las cuestiones que se pregunten para saber su rentabilidad. (Rosario Peiró. https://economipedia.com/definiciones/modelo-de-negocio.html).

55 https://www.gestion.org/ejemplos-modelos-de-negocio-innovadores/

generar ingresos y beneficios, sino que pone en el centro al cliente"[56]. Es una herramienta cuyos objetivos son:

- Conocer con claridad el tipo de negocio.
- A quién va dirigido.
- Cómo se va a vender y cómo se van a conseguir los ingresos.
- Además, permite planificar qué es lo que va a pasar con el negocio, así como describirlo y clasificarlo.
- Por tanto, es la actividad económica en la que se ha especializado una empresa y de qué forma va a obtener sus ingresos.

1.1.1.4 Se describe la ***unidad de observación***[57], ya sea una institución, organización, localidad, comunidad, región o espacio determinado. Contesta a las preguntas:

- ¿Dónde se va a hacer?
- ¿Con quién se va a hacer?

1.1.1.5 Se **contextualiza** el espacio de la ***unidad de observación*** en términos geográficos, históricos, políticos, de infraestructura.

1.2 Diagnóstico Situacional[58] (D). Este es el «paso dos» del Modelo IDEA, y es en donde tienen lugar los *estudios de prefactibilidad*[59] juntamente con el *análisis de la situación* que guarda la unidad de observación.

---

56 https://es.eserp.com/articulos/que-es-un-modelo-de-negocio/

57 También llamado *sujeto* (cualquier persona, grupo, clase o institución).

58 En general la teoría situacional hace énfasis en que no hay nada absoluto en las organizaciones: todo es relativo y siempre depende de algún factor. Surge a partir de una serie de investigaciones llevadas a cabo para verificar cuáles son los modelos de estructuras organizacionales más eficaces en determinados tipos de organizaciones. Algunos autores que hablan al respecto son: Chandler, Burns & Stalker, Lawrence y Lorsch, Joan Woodward, Thompson, entre otros (en Chiavenato, 2006). En el **Diagnóstico Situacional** se identifica, describe, analiza y evalúa la situación de una empresa o institución en un momento dado. El objetivo es detectar las fallas o errores, buscando los aspectos que deben ser mejorados y fortalecidos, y considera para la construcción los elementos fundamentales de los *Diagnósticos sociales* como parte de las *fases* de la metodología clásica (Ávila, 2019, p. 7), ya que es un *nexo entre la investigación y la acción-intervención social*.

59 Identificación del problema a solucionar mediante los objetivos que se persiguen, mediante la recopilación de la información que permita decidir si es viable convertir la idea en un proyecto (Tapia et al, 2017).

El Diagnóstico (Dx) funge como un elemento nodal de la metodología de acción clásica adaptado a la intervención, mediado por el Modelo IDEA, y será el que aporte los elementos para detectar la situación crítica (problemática) y encontrar los mecanismos para resolverla o solucionarla; en resumen, "el intento de hacer una definición, lo más exacta posible, de la **situación**" (Richmond,1917, citado en Ávila, 2021, p. 1). El Diagnóstico social, como base del Diagnóstico Situacional, debe ser holístico, preciso y claro. Debería ser una de las fases de acción social cotidiana de toda organización y una técnica de suma importancia en el desarrollo organizacional.

Conforme avance el proyecto, se irán integrando elementos teórico-conceptuales con la praxis cotidiana del interventor; empero, esto solo se podrá lograr a través de la *cuatríada*: **investigación, formulación diagnostica, acciones clave y sistematización de la práctica**. En la tabla 1 se muestran las fases de la metodología clásica de intervención diseñada por Ávila (2019, p. 7), misma que se puede aplicar en casos, grupos y comunidades, realiza el ejercicio de la tabla 5.

Tabla 1. Metodología clásica

Fase	Finalidad
Investigación	Le permite caracterizar los fenómenos sociales, determinar sus causas y repercusiones en la sociedad.
Diagnóstico	Jerarquización de las causas y efectos de la problemática detectada.
Planeación/ Programación	Establece las acciones y procedimientos para la intervención en la problemática.
Gestión	Desarrolla un conjunto de acciones de educación, organización y gestión social.
Evaluación	Valora el alcance y limitaciones de la intervención profesional.
Sistematización	Reflexión teórica sobre el hecho y la vida cotidiana, así como la intervención profesional, para enriquecer el saber especializado de la profesión y las estrategias institucionales.
Socialización y publicación del conocimiento/experiencia.	Tras sistematizar las prácticas profesionales estas deben adecuarse a modo de artículo, libro o antología para que se puedan publicar de manera digital y/o impresa y así poder socializar el conocimiento y tenga un mayor impacto.

Fuente: Ávila (2019, p. 7)

A razón de la segunda fase (Diagnóstico) de la tabla anterior, el Diagnóstico social se define como,

> "[...]un estudio holístico de los factores socio-familiares, económicos, demográficos y de salud que a través de la investigación a profundidad permitirán el análisis y probable resolución de su problema o motivo de consulta. En este orden de ideas, los cientistas sociales Martín Castro, María Ríos y Elizabeth Carvajal refieren que: "el Diagnóstico, hace referencia a un proceso de investigación científica, cuya finalidad es recabar información documental y empírica que permita visualizar la dimensión objetiva del problema social, su magnitud y el impacto en la sociedad [organización]; es decir, buscar información y recabar datos que faciliten el análisis y la interpretación del problema". (Castro et al, 2017, p. 58 en Ávila Cedillo, 2021, p. 2-3).

Algunos de los elementos clave del Diagnóstico se observa en la figura 5.

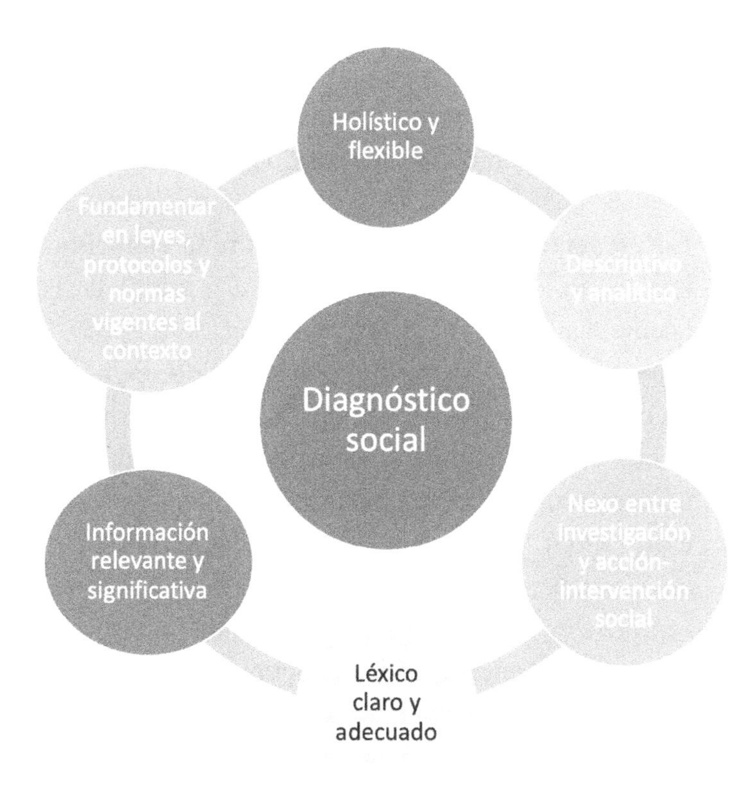

Figura 5. Elementos clave del Diagnóstico

Fuente: Ibidem, p. 3

1.2.1 **Diagnóstico general**.

- Es la ***primera etapa*** del Diagnóstico situacional y es en donde se identifican y analizan los *factores generales* de la **situación crítica o problemática** (tiene correspondencia con *problematización*[60]). Para ello, se requiere aplica un *modelo de diagnóstico*.

---

60 La problematización es el verbo, la acción, el proceso de indagación, de búsqueda, de encuentro o clarificación del conflicto (Sánchez Puentes, 1995 en García-Córdoba, et al, 2005). Inicia con una

"La problematización es un proceso, es un ir y venir, es estancarse, retroceder y avanzar. Difícilmente [se puede] afirmar que se conforma de pasos o momentos, sin embargo, por razones prácticas se [compone] de cuatro etapas: la exploración, la concreción, el planteamiento y la delimitación" (García-Córdoba, et al, 2005).

- **Lo esencial es conocer y cuestionar lo conocido**. El sujeto ha de lograr la apropiación y uso crítico de la teoría (Zemelman, 1987 en García-Córdoba, et al, 2005). Sólo un [investigador-interventor] comprometido logra construir un problema de [investigación-intervención] que se expresa con claridad teórica y conceptual, con lo que constituye un constructo (Sánchez Puentes, 1995 en García-Córdoba, et al, 2005). Al respecto Sánchez Puentes (1995 en García-Córdoba, et al, 2005) "[...]destaca la conveniencia de centrarse en la problematización como el proceso que desencadena la generación de conocimiento científico".
- **Argumentos[61].** Se describen y explican las principales razones y *motivos* por los que se eligió el modelo de diagnóstico.
  - **1.2.1.1 Panorama general**. Se ofrece un panorama general que permita comprender las circunstancias que merecen atención y/o solución.
  - **1.2.1.2 Escenarios *posibles*[62]**. Son los "**supuestos**" sus-

duda radical, con un poner *entre paréntesis* lo dado, lo conocido para dirigir preguntas al objeto de intervención.

61 Una **argumentación** es un texto que tiene como fin o bien persuadir al destinatario del punto de vista que se tiene sobre un asunto, o bien convencerlo de la falsedad o veracidad de una teoría, para lo cual debe aportar determinadas razones. Aparte de esta intención comunicativa, el texto argumentativo se caracteriza por una organización del contenido que lo define como tal: se presentan unas opiniones, que deben ser defendidas o rechazadas con argumentos, y que derivan de forma lógica en una determinada conclusión o tesis.
https://www.edu.xunta.gal/centros/cafi/aulavirtual/pluginfile.php/26651/mod_resource/content/0/Unidad_6/Web_txt_arg_I/qu_es_una_argumentacin.html

62 Para más información se sugiere revisar a Miklos et al (2008), como sus trabajos de **la prospectiva** ya que, como opción metodológica, se centra en el concepto de futuro y del papel de éste en la planeación estratégica y en el cambio social; luego entonces, estudia y trabaja sobre el futuro, y se

ceptibles de intervención y su viabilidad, y son análogos a las **hipótesis de trabajo**, por lo tanto, no están **verificados** dado que son anticipaciones que se basan en conocimientos previos que tiene el *investigador-interventor* sobre los resultados que se van a obtener. A través de la realización de la *investigación-intervención*, las hipótesis o supuestos planteadas previamente serán confirmadas o rechazadas.

- Como parte de la primera etapa del diagnóstico situacional se busca identificar los factores generales de la **situación crítica** (problema objeto de intervención) con el fin de intervenir (objeto de intervención[63]), es decir, se valoran.

---

apoya en tres grandes estrategias: la visión de largo plazo, su cobertura holística y el consensuamiento. Estas se conjugan armónicamente para ofrecer escenarios alternativos (¿hacia dónde ir?), su evaluación estratégica (¿por dónde conviene ir?) y su planeación táctica (¿cómo?, ¿cuándo?, ¿con qué? y ¿con quién?). Para este proyecto de intervención denominamos **"Escenarios *posibles*"** a las **hipótesis de trabajo** ya que, como muchos estudios cualitativos, empiezan con la formulación de uno o varios **supuestos** sobre posibles respuestas o soluciones a los problemas que se van a tratar o intervenir. En la investigación cualitativa estos supuestos se denominan *hipótesis de trabajo*. Se trata de supuestos basados en hechos conocidos que sirven como puntos de referencia para una investigación [intervención]posterior. https://archive.unu.edu/unupress.food2/UIN13S/UIN13S08.HTM

La investigación cualitativa no estudia la realidad en sí, sino cómo se construye la realidad; esto implica estudiarlo desde el punto de vista de las personas y enfatizar el proceso de comprensión de parte del investigador (Gallardo, 2017). Con este término, entendemos cualquier tipo de investigación que produce hallazgos a los que no se llega por medio de procedimientos estadísticos u otros medios de cuantificación [...] los métodos cualitativos se pueden usar para obtener detalles complejos de algunos fenómenos [...]difíciles de extraer o de aprehender por métodos de investigación más convencionales [...]Puede tratarse de investigaciones sobre la vida de la gente, las experiencias vividas, los comportamientos, emociones y sentimientos, así como al funcionamiento organizacional, los movimientos sociales, los fenómenos culturales y la interacción entre las naciones. Algunos de los datos pueden cuantificarse [...]pero el grueso del análisis es interpretativo [...]Al hablar sobre análisis cualitativo, nos referimos, no a la cuantificación de los datos cualitativos, sino al proceso no matemático de interpretación, realizado con el propósito de descubrir conceptos y relaciones en los datos brutos y luego organizarlos en un esquema explicativo teórico [...]Existen muchas razones válidas para realizar investigación cualitativa. Una es la preferencia o la experiencia de los investigadores [...]Otros investigadores provienen de disciplinas (como la antropología) o tienen orientaciones filosóficas (como la fenomenología) que tradicionalmente hacen uso de métodos cualitativos. Otra razón, y probablemente más válida, para escoger los métodos cualitativos, es la naturaleza del problema que se investiga. Por ejemplo, la investigación que intenta comprender el significado o naturaleza de la experiencia de [las]personas [...]y el acto de "destaparse" se presta a trabajo de campo para encontrar lo que la gente hace y piensa. Los métodos cualitativos pueden usarse para explorar áreas sustantivas sobre las cuales se conoce poco o mucho, pero se busca obtener un conocimiento nuevo (Stern, 1980 en Strauss et al 2002).

63 Aquel que identifica el fenómeno que se quiere *intervenir*, se designa a través de la evidencia empírica, múltiple y diversa, con que aparece en la dinámica social y [...] *se conceptualiza retoman-*

- los ***escenarios alternativos*** de desarrollo (¿hacia dónde ir?).
- Su evaluación estratégica (¿por dónde conviene ir?).
- Su planeación táctica (¿cómo?, ¿cuándo?, ¿con qué? y ¿con quién?).
- A la luz del ámbito específico susceptible de intervención y de su viabilidad (se confirma con los **Estudio de factibilidad**).

De acuerdo con Yuni et al (2010) la hipótesis debe cumplir con los requisitos siguientes:

- Ofrecer una respuesta tentativa al problema.
- Ser redactada de forma comprensible, precisa y concreta.
- Ser verosímil, es decir, en consonancia con el marco teórico.
- La relación planteada debe ser medible y observable.
- Para comprobarlas las hipótesis estadísticas, deberá ser coherente con las técnicas estadísticas.

1.2.1.2.1 Modelo de diagnóstico. Determinar el *modelo de diagnóstico* y explicar exhaustivamente las razones por las cuales se utilizará dicho modelo como parte de los *estudios de prefactibilidad.*

1.2.1.2.2 Técnicas y herramientas de recogida de información. Determinar las técnicas y herramientas que se utilizarán; se explican las razones de ello.

1.2.1.2.3 Modelo y/o proceso que se utiliza para analizar e interpretar la información.

1.2.1.2.4 Cronograma de actividades.

1.2.1.3 Referentes empíricos[64] del diagnóstico gene-

---

do, lineal y mecánicamente, los conceptos elaborados en el campo de diferentes disciplinas de las ciencias sociales (Martínez Rossiter et al, 2015).

64 Son los datos o aspectos de la realidad (fenómenos) que se observan y se analizan en la búsqueda de la verdad [...]El observador debe ser fiel al objeto investigado, es decir, objetivo, y evitar los aspectos negativos de la subjetividad (arbitrariedad) esto le permitirá presentar las **evidencias** reales que justifiquen el proyecto de intervención. Las **evidencias** son datos **empíricos** que se captan

ral. Se plantean referentes empíricos (experiencia personal y directa), que favorezcan el entendimiento de la necesidad detectada. Realiza el ejercicio de la tabla 2.

- Se describe el ámbito de la intervención a partir de la **situación crítica.**
- Se pueden utilizan elementos:
  - Del **método empírico** como un modelo de investigación que pretende obtener conocimiento a partir de la observación de la realidad. Por ende, **está basado en la experiencia**. En este modelo, la observación de la realidad es el punto de partida para formular *supuestos de intervención* (hipótesis), las cuales deben ser sometidas a prueba mediante la experimentación[65][66].
- De la **teoría de la subjetividad**[67] que "[da cuenta de la subjetividad como objeto de estudio que tiene una naturaleza ontológica propia y que existe como realidad

---

por medio de los sentidos. http://crecea.uag.mx/investiga/doctos/referente.pdf
Empírico es un adjetivo que señala que algo está basado en la práctica, experiencia y en la observación de los hechos. La palabra empírico viene del griego "empeirikos", que significa "experimentado». El conocimiento empírico es aquella noción basada en el contacto directo con la realidad, con la experiencia, y la percepción que se hace de ella. El conocimiento empírico consiste en todo lo que se sabe sin poseer un conocimiento científico. https://www.significados.com/empirico/

65 La fuente de conocimiento es la experiencia directa. El punto de partida es la formulación de una hipótesis. La demostración se basa en la refutación o confirmación de la hipótesis. https://www.significados.com/metodo-empirico/#:~:text=El%20m%C3%A9todo%20emp%C3%ADrico%20es%20un,la%20observaci%C3%B3n%20de%20la%20realidad.&text=En%20este%20modelo%2C%20la%20observaci%C3%B3n,a%20prueba%20mediante%20la%20experimentaci%C3%B3n.

66 En el enfoque cuantitativo, opina Hernández Sampieri et al (2014, p. 117), las hipótesis se someten a prueba en la "realidad" cuando se implementa un diseño de investigación, se recolectan datos con uno o varios instrumentos de medición, y se analizan e interpretan esos mismos datos. Cuantas más investigaciones apoyen una hipótesis, más credibilidad tendrá y, por supuesto, será válida para el contexto (lugar, tiempo y participantes, casos o fenómenos) en que se comprobó. Al menos lo es probabilísticamente.

67 Su fundamento filosófico es la *complejidad* (González Rey, 2010b, 2011c, 2011a; Hernández, 2008; Morín, 1998) [y los] principios que conforman esta teoría proveen una concepción del ser humano y de la naturaleza que se articulan en niveles sociales y psicológicos dentro del marco de la recursividad en un esfuerzo por superar la dicotomía entre lo social y lo individual (Hernández, 2008). En esta misma dirección, estos principios se oponen a los reduccionismos biológicos y sociológicos (Hernández, 2008). Para [...] comprender el planteamiento epistemológico de esta teoría, es necesario exponer los tres principios básicos del pensamiento complejo [el principio dialógico, principio de recursividad organizacional y principio hologramático] (Hernández, 2008; Morín, 1998) https://revistadepsicologiagepu.es.tl/La-teor%EDa-de-la-subjetividad-d--una-teor%EDa-de-personalidad-del-siglo-21.htm

cualitativa distinguible de otras formas" (González Rey, 2002 en Swan Rodríguez-Camejo et al, 2020).

- Realiza el ejercicio de la tabla 2.

Tabla 2. **Ejercicio**. Referentes empíricos. Indicadores

SI/NO	Indicadores	Observaciones
	Experiencia personal en que se genera el problema y se plantean las preguntas.	
	La experiencia vinculada a los estudios y las intervenciones previas realizadas por el interventor.	
	Claridad.	

1.2.1.4 Situación crítica "general". Se explica el origen y las consecuencias de la *situación crítica* (problema objeto de intervención) que se pretende solucionar, describiendo cuáles son los problemas generales por resolver surgidos de la primera etapa del diagnóstico situacional.

- Primer acercamiento que intenta responder a la pregunta ¿para qué se interviene? (apartado de la "justificación").
- Debe ser realista al describir los alcances y aportes que el proyecto tendrá, así como los grupos a los que se podría beneficiar.
- La respuesta se completará en el punto 4. Justificación del proyecto de intervención.
- Realiza el ejercicio de la tabla 3 como apoyo para relacionar las situaciones críticas o problemas detectados en el diagnóstico general.

Tabla 3. **Ejercicio**. Relación "Problema de intervención-Eje de desarrollo estratégico"

	SI continuar (¿Por qué?)	NO continuar (¿Por qué?)	Para qué continuar
Problema 1-Eje de desarrollo estratégico X			
Problema 2-Eje de desarrollo estratégico Y			
Problema 3-Eje de desarrollo estratégico Z			

A

Idea gral. de interv. en 5 renglones (a)

B.

Describe en 2 renglones la ***Unidad de Observación***

- Un ejemplo de Modelo de Diagnóstico lo proporciona el Dr. Aguilar (2015) en la Matriz de Cambio Planeado. Este se puede realizar como *modelo diagnóstico* en este proyecto; para ello, realiza el ejercicio de la tabla 4.

Tabla 4. **Ejercicio**. Matriz del Cambio Planeado

Situación Actual ______________________________

Resultado deseado (*Objetivo*) ______________________________

	Qué	Cómo (Acciones)	*Quién (es)	Cuándo	Indicador	Otros (Dónde, con quién, etc.)
AUMENTAR +						
DISMINUIR -						
EVITAR X						
CREAR ?						
PERPETUAR =						

*Esta columna **no aplica** cuando el objetivo es *individual*.

Fuente: Aguilar (2015).

CAPÍTULO II. PROYECTO DE INTERVENCIÓN II

1.2.1.5 Fundamentación teórica

Es el marco teórico-conceptual[68] que se construye **a partir** de las palabras *clave*[69] (ver anexo 3); estas también podrían surgir a partir de la ***información relevante*** **descrita en la Identificación de la problemática**, y deberán relacionarse con los principales ejes de desarrollo estratégico (realiza el ejercicio de la tabla 8):

- Aunque ciertamente hay una revisión inicial de la literatura, ésta puede **complementarse** en *cualquier etapa de la intervención*; así que se podría realizar desde el **planteamiento del problema** hasta la elaboración del **reporte de resultados**.
- Se exponen los referentes teórico-conceptuales de la problemática, es decir, una serie organizada de conceptos y líneas teóricas que permiten comprender las relaciones entre los factores que provocaron la situación crítica que se pretende intervenir.
- La correcta elaboración del marco teórico-conceptual requiere de llevar a cabo tres acciones:
  - La búsqueda de fuentes de consulta (información extraída de artículos o manuales científicos de relevancia y, preferentemente, indexados).
  - Revisión de las fuentes de consulta encontradas.
  - La construcción del escrito (marco teórico).

Niño Rojas (2011en UNIR, 2022[b]) proporciona algunas recomendaciones para la elaboración de un marco teórico-conceptual sólido:

Estructura la información por apartados. No se trata de copiar simplemente la información que está conteni-

68 Se contrasta con los resultados de la *investigación-intervención*.
69 Procurar que no sean más de 5 palabras *clave*.

da en otros documentos, aunque esté bien referenciada. El marco teórico tiene que ser personal, tanto en su organización como en la redacción y presentación de la información.

Que la información sea completa para dar sentido al trabajo de investigación. Los objetivos del estudio van a marcar la guía del marco teórico, ya que muestra lo que realmente se quiere saber. No se pueden dejar vacíos teóricos ni incluir otras temáticas que no es necesario explicar. Además, tampoco es conveniente extenderse demasiado cuando no es pertinente.

[En la medida de lo posible cita] las fuentes originales de toda la información y que sean fuentes válidas. Es fundamental que cada afirmación que se incluya esté debidamente justificada mediante la inclusión del autor y la referencia completa para saber la procedencia.

Rojas comparte algunas otras sugerencias (Ibidem):

1. Empieza por las cuestiones más generales hasta lo particular.
2. Parte de lo más fácil hasta llegar a las cuestiones más difíciles, de lo más conocido hasta llegar a las lagunas teóricas (desconocido), de lo práctico hasta lo teórico, y de una revisión histórica hasta llegar a lo actual.

- En la tabla 5 se podrá llevar a cabo un ejercicio que facilite la correlación de las *palabras clave* con sus referentes teórico-conceptuales; ellas mismas se irán relacionando con los *escenarios posibles* del diagnóstico general en la tabla 6
- Revisa y llena las listas de cotejo de las tablas 7 y 8 como se solicita para revisar que tanto el marco teórico como el conceptual vayan cumpliendo con los indicadores que se requieren.

Tabla 5. **Ejercicio**. Lista de Palabras *Clave*

Palabra Clave *5 como máximo	**Referentes teóricos**	**Referentes conceptuales**	**Principales definiciones**	**Materiales de consulta** * al menos 5 referencias *4 años de antigüedad como máximo

Tabla 6.**Ejercicio**. Relación "Palabras *Clave*-Escenarios Posibles"

Fundamentación Teórico-Concep. Situación Crítica/Palabras clave	**Escenarios** alternativos: ¿hacia dónde ir? (Hipótesis preliminar)	Por qué es **factible** (Plan estratégico: ¿por dónde conviene ir?	**Viabilidad** del proyecto	SÍ/NO	Por qué es **viable** (Plan táctico: ¿cómo?, ¿cuándo?, ¿con qué? ¿con quién?)
Situación Crítica 1 (palabra clave 1)			¿El proyecto se puede terminar en el tiempo estimado?		
Situación Crítica 2 (palabra clave 2)			¿Es posible conseguir el dinero necesario para llevar a cabo la investigación?		
Situación Crítica 3 (palabra clave 3)			¿Se tienen disponibles todos los recursos materiales?		
Situación Crítica 4 (palabra clave 4)			¿Se cuenta con el apoyo institucional o de los profesionales adecuados para obtener los datos?		
Situación. Crítica 5 (palabra clave 5)			¿Se cuenta con los profesionales capacitados para llevar a cabo el trabajo?		

Tabla 7. **Ejercicio**. Marco teórico. Indicadores

SI/NO	Indicadores	Observaciones
	¿Se han revisado exhaustivamente las investigaciones e intervenciones pertinentes al objeto de intervención?	
	¿Se trata de literatura actualizada?	
	¿Se remite a fuentes originales y/o secundarias?	
	¿Se muestra creatividad en la relación de otros campos con el campo propuesto?	
	El marco teórico utilizado ¿ayuda a problematizar el objeto de intervención que se construye? ¿Cómo lo hace?	

Tabla 8. **Ejercicio**. Marco Conceptual. Indicadores

SÍ/NO	Indicadores	Observaciones
	¿Están identificados los conceptos centrales que definen y delimitan el objeto de intervención?	
	¿Su uso es consistente, claro y preciso?	
	¿Es posible identificar el conocimiento del campo semántico al que remiten las categorías centrales, así como su articulación interna?	
	¿Los conceptos expresan con claridad las ideas centrales de la intervención?	
	¿Es coherente el uso de los conceptos respecto del marco teórico que sirve de sustento a la intervención?	
	¿Se indican los alcances y los límites que hagan posibles y factibles los recortes pertinentes de un objeto de intervención?	

1.2.2 Diagnóstico específico

- Es la ***segunda etapa*** del diagnóstico situacional; es en donde se realizan los estudios de factibilidad por medio de un *modelo de diagnóstico*.

- **Argumentos.** Se describen y explican las principales ***razones*** y *motivos* por los que se eligió el modelo de diagnóstico, así como los *métodos* y *técnicas* para llevarlo a cabo.

1.2.2.1 **Estudio de factibilidad**[70,71,72]. A partir del **Diagnóstico general**, se eligen las variables más apremiantes que serán intervenidas (objeto de intervención), considerando una *lógica jerárquica*, su viabilidad, beneficios, limitaciones y los **recursos** con los que se cuenta.

- La *lógica jerárquica* permite determinar cuáles situaciones críticas se deberán atender primero según su importancia, su urgencia, o su emergencia. La **importancia**[73] es una motivación interior (es importante para cada uno de nosotros); la **urgencia**[74] es una motivación exterior, (es importante para otros); temas que han sido descritos por diferentes autores como Rotter (1966) en lo que llamó *locus de control* descrito en su Teoría del Aprendizaje Social[75], y Covey (2015) la **matriz del manejo del tiem-**

---

70 El estudio de factibilidad permite conocer si el negocio o **proyecto** se puede hacer o no se puede hacer, cuáles son las condiciones ideales para realizarlo y cómo podría solucionar las dificultades que se puedan presentar. https://economipedia.com/definiciones/estudio-de-factibilidad.html

71 http://www.pmoinformatica.com/2016/04/modelo-estudio-de-factibilidad.html

72 La Administración y Dirección de proyectos tiene como base la **Triple Restricción** (triángulo donde interactúan contantemente los factores del ***Tiempo***, ***Costo*** y ***Alcance***), y determina la **Calidad del proyecto**; estos tres *factores* establecen los cimientos para el diseño del **Objetivo General de Intervención**, y su posterior evaluación (nivel de *cumplimiento* de los *objetivos esperados*). Las *restricciones* se van definiendo durante la construcción del **Planteamiento del problema**, principalmente en los **Estudios de factibilidad** y la **Justificación del proyecto**.

73 Algo **importante** lo es por su entidad, por su interés, conveniencia o por el alcance de sus efectos. Las tareas importantes son las que contribuyen a una misión, valores u objetivos a largo plazo. Cuando una persona se centra en las actividades importantes, opera en modo receptivo.

74 Lo **urgente** se reconoce por su necesidad, por el apremio que implica o por las consecuencias que su falta puede causar. Significa que una tarea requiere atención inmediata. Estas son las tareas pendientes que se deben hacer 'aquí y ahora'. Las tareas urgentes hacen que la persona tenga un modo reactivo, marcado por una mentalidad defensiva, negativa, apresurada y estrechamente enfocada. https://www.workmeter.com/blog/urgente-vs-importante-diferencias-y-ejemplos/

75 La percepción que una persona tiene acerca del control que puede ejercer sobre los eventos que ocurren a su alrededor es importante para la vida del individuo. A esto le llamó *locus de control*, y este puede ser interno o externo. Cuando es interno, creemos que nosotros controlamos lo que

po: importante-urgente (gestionar); importante-no urgente (enfocar); no importante-urgente (evitar); no importante-no urgente (limitar).

- Por otro lado, se cuenta con la *Matriz de Eisenhower*[76], que es una herramienta de gestión de tareas, que también hace una distinción entre las tareas urgentes e importantes para organizar y priorizar el flujo de trabajo de manera eficiente. Urgente / Importante (hazlo); no urgente / importante (prográmalo); urgente / no importante (delégalo); no urgente / no importante (elimínalo).
- La diferencia entre *lo importante y lo urgente*[77] puede ser bastante intuitiva; sin embargo, la mayoría de las personas caen en la trampa de creer que todas las actividades urgentes también son importantes. Esta propensión probablemente tiene sus raíces en nuestra historia evolutiva: nuestros antepasados se concentraron más en las preocupaciones a corto plazo que en la estrategia a largo plazo, ya que no atender a los estímulos inmediatos podría significar la diferencia entre la vida y la muerte.
- **Emergencia**[78], por su parte, puede referirse a la acción o efecto de emerger, a un suceso imprevisto, o a una situación cuyo peligro o desastre implica la necesidad de atención inmediata.
- Y evita que los **Objetivos** sean confusos. Sin objetivos claros, no se puede definir el trabajo a realizar ni planificarlo adecuadamente, las prioridades cambiarán constantemente

---

sucede, somos responsables de lo que nos pasa (cómo nos comportemos y aquello que hagamos está relacionado con los resultados), mientras que si es externo la persona cree que lo que sucede es independiente a su comportamiento (el destino inexorable, la suerte) (UNIR, 2022).

76 También se conoce como: **Matriz de gestión del tiempo**, la **caja de Eisenhower** y la **matriz urgente-importante**, surgida de un discurso de 1954, en el que Eisenhower citó a un rector de universidad anónimo cuando dijo: "Tengo dos tipos de problemas, los urgentes y los importantes. Los urgentes no son importantes, y los importantes nunca son urgentes". https://asana.com/es/resources/eisenhower-matrix

77 https://www.cerem.mx/blog/que-hacemos-primero-lo-urgente-o-lo-importante

78 https://www.diccionariodedudas.com/diferencia-entre-urgencia-y-emergencia/

y esto generarán conflictos. Define tus objetivos a corto, medio y largo plazo periódicamente y hazlos: **SMART**[79]. Separa lo importante de lo urgente.

- Una vez que se ha realizado el diagnóstico general ya se cuentan con varias situaciones críticas *generales* o potenciales problemas de intervención; así que es posible que se tenga que seleccionar solamente uno o dos problemas (situación crítica) para llevar a cabo la intervención; para ello:
- El **paso uno** es determinar el nivel jerárquico de cada *problema*, esto se hace por medio de la *lógica jerárquica*, así se irán eliminando (al menos para este proyecto) los problemas de menor rango o nivel jerárquico, lo que permite **organizar y priorizar** el flujo de proyecto de manera eficiente de acuerdo con los cuadrantes del ejercicio de la tabla 9:

    - Urgente / Importante (hazlo)
    - No urgente / Importante (prográmalo)
    - Urgente / No importante (delégalo)
    - No urgente / No importante (elimínalo)

Nota. En la columna de "Elección de las *variables más apremiantes*", se recomienda incluir todas las situaciones críticas, de esta manera se contará con un *mapa jerárquico* que ayude a tomar mejor la decisión de cuál o cuáles problemas se elegirán para continuar analizándose en el diagnóstico específico.

Tabla 9. **Ejercicio**. Lógica jerárquica para elegir variables de intervención

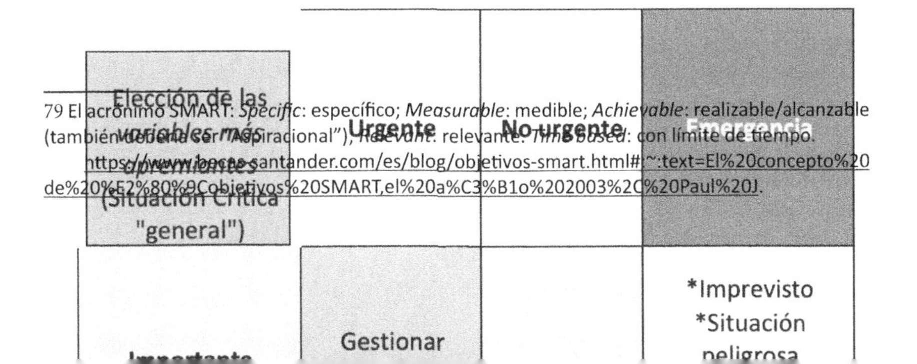

Elección de las *variables más apremiantes* (Situación Crítica "general")	Urgente	No urgente	Emergencia
Importante	Gestionar		*Imprevisto *Situación peligrosa

79 El acrónimo SMART: *Specific*: específico; *Measurable*: medible; *Achievable*: realizable/alcanzable (también debería ser "Aspiracional"); *Relevant*: relevante. *Time based*: con límite de tiempo. https://www.becas-santander.com/es/blog/objetivos-smart.html#:~:text=El%20concepto%20de%20%E2%80%9Cobjetivos%20SMART,el%20a%C3%B1o%202003%2C%20Paul%20J.

Fuente: Adaptación de las matrices de Eisenhower (1954) y del manejo del tiempo de Covey (2015), y el locus de control descrito en la teoría de aprendizaje social (Rotter, 1966)

- El **paso dos** se lleva a cabo una vez que ya se eligieron las *variables más apremiantes*, resultantes del *mapa jerárquico* del ejercicio de la tabla 9; estas variables o situaciones críticas seleccionadas pasarán por el **análisis de factibilidad del** diagnóstico específico (y cada uno de los incisos que corresponden); para ello, realiza el ejercicio de la tabla 9. Dicho diagnóstico concluye con el **Esquema preliminar de intervención.**

1.2.2.1.1 Análisis de Factibilidad[80] (realiza el ejercicio de la tabla 10 y retomar los resultados de viabilidad de la tabla 6). Se incluye el análisis de riesgo[81,82] *-contingencia-*). Consiste en determinar si un proyecto es:

1.2.2.1.1.1 Técnicamente factible.

1.2.2.1.1.2 Factible para el costo estimado.

1.2.2.1.1.3 ¿Será rentable?

- Debe responder las siguientes preguntas:
- ¿Se puede llevar a cabo?
- ¿Cuáles son las condiciones ideales para realizarlo?
- ¿Cómo solucionar dificultades que se presenten?

1.2.2.1.2 Lugar y tiempo. Se señalan características del

80 https://msaffirio.com/2017/11/13/analisis-de-factibilidad-de-un-proyecto/

81 El **análisis de riesgo** es el uso sistemático de la información disponible para determinar la frecuencia con la que determinados eventos se pueden producir y la magnitud de sus consecuencias. https://www.palisade-lta.com/risk/analisis_de_riesgo.asp

Algunos ejemplos son los utilizados en los paradigmas cuantitativos y cualitativos o los 5 métodos de análisis de riesgos. https://www.piranirisk.com/es/blog/5-m%C3%A9todos-de-an%C3%A1lisis-de-riesgos

82 **Plan de Acción** de **Riesgos** recoge el detalle de los **riesgos** identificados en el Informe de Seguimiento del Proyecto. Se establece una priorización del **riesgo** con base en el análisis del impacto, probabilidad, predictibilidad y controlabilidad de cada **riesgo** identificado. http://www.juntadeandalucia.es/servicios/madeja/sites/default/files/historico/1.3.0/contenido-recurso-453.html#:~:text=El%20documento%20de%20Plan%20de,controlabilidad%20de%20cada%20riesgo%20identificado.

lugar donde se aplica el diagnóstico y delimitación del periodo de tiempo que abarca.

Nota. El análisis de factibilidad se completa con los *estudios de pertinencia.*

1.2.2.1.3 Métodos, técnicas e instrumentos. Se describen los métodos, técnicas e instrumentos utilizados en la realización del diagnóstico.

1.2.2.1.4 Resultados del análisis situacional (general y específico). Se analizan los resultados del diagnóstico (causas, efectos, sujetos, implicaciones, etc.) con una visión *totalizadora*.

1.2.2.1.5 Esquema preliminar de intervención. Se diseña una primera *ruta crítica de solución*[83] a manera de *Mapa general* (la *ruta crítica* se retoma en el diseño metodológico).

Tabla 10. **Ejercicio.** Análisis de Factibilidad para elegir **variables de intervención.**

Elección de las *variables más apremiantes* (Situación Crítica "general")	¿Es técnicamente factible para el para el costo estimado?	¿Es rentable?	¿Se puede llevar a cabo? ¿Con cuáles condiciones?	¿Cómo solucionar las dificultades que se presenten?	Lugar (Unidad de observación) y tiempo	Método (s) de Diagnóstico	Técnicas e instrumentos
Variable elegida 1 (palabra clave)							
Variable elegida 2 (palabra clave)							

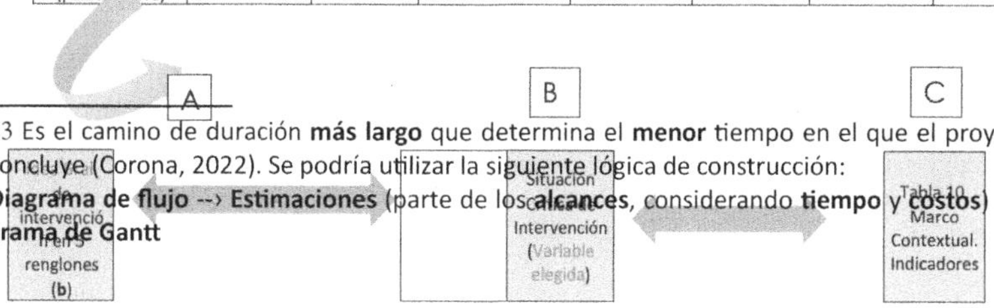

A

B

C

renglones (b)

Situación ... Intervención (Variable elegida)

Tabla 10 Marco Contextual. Indicadores

83 Es el camino de duración **más largo** que determina el **menor** tiempo en el que el proyecto se concluye (Corona, 2022). Se podría utilizar la siguiente lógica de construcción: **Diagrama de flujo --› Estimaciones** (parte de los **alcances**, considerando **tiempo** y **costos**) --› **Diagrama de Gantt**

- Una vez que se terminaron de examinar exhaustivamente desde los **Antecedentes** hasta el **Diagnóstico Situacional** (general y específico), toca verificar que se haya cumplido con todo lo solicitado, para ello se pide llenar la lista de cotejo de la tabla 11.

Tabla 11. **Ejercicio.** Marco Contextual. Indicadores

SÍ/NO	Marco contextual. Indicadores	Observaciones
	¿Se da cuenta del conjunto de situaciones y circunstancias en las que se inserta la intervención?	
	¿Se explicitan las razones por las que se eligió abordar el problema en un contexto histórico determinado?	
	¿Se indican los motivos por los que se delimitó de esta forma la unidad de observación, o por las que no se incluyeron otras facetas en el abordaje del problema?	
	¿Permiten los elementos incluidos enriquecer el conocimiento y elevar la comprensión de la naturaleza social o individual de lo que se interviene?	
	¿Se reflexiona en torno a la relevancia de abordar el problema en el contexto específico que se ha elegido para hacerlo?	
	¿Los elementos que se incluyen en el problema u objeto de intervención permiten comprender en el contexto adecuado las dimensiones del problema que se pretende intervenir?	
	¿Existe claridad en la manera en que se relacionan los elementos del marco contextual y en el significado que se atribuye a los datos?	

2. JUSTIFICACIÓN[84] O DEFENSA DEL PROYECTO DE INTERVENCIÓN (D)

- Toda intervención debe cumplir un propósito definido, y es en la **justificación** en donde se **defienden** y exponen dichos

84 La justificación plantea los beneficios que se derivarán de la intervención, así como los **alcances y limitaciones** y **quiénes se benefician;** destacan tres aspectos (**Teórico**, centrado en presentar las razones teóricas que justifican la intervención, es decir, señala todos los conocimientos que brindará el trabajo sobre el objeto intervenido; **Práctico**, la aplicabilidad de la intervención, su proyección en la sociedad, quiénes se benefician de ésta; **Metodológico**, el aporte de la intervención a otras intervención, así como el diseño utilizado.
Es necesario dejar muy claro en que se basa su importancia, qué beneficios genera y a quién, cuáles son sus aportes. Ahora, ten presente que la justificación del estudio no se hace con todos estos criterios, basta que cumpla sólo uno y ya está justificada.

propósitos; es decir, las razones por las cuales se quiere realizar la intervención.

- La justificación o defensa (**D**) del proyecto de intervención es el «paso tres» del Modelo IDEA, y **consiste en una explicación argumentada de las razones que motivan a la realización del proyecto, buscando responder a las preguntas "¿Por qué? o ¿Para qué?"**[85].
  - Por medio de la justificación se demuestra que el estudio es necesario e importante.
  - Por medio de la defensa del proyecto se explica por qué es conveniente la intervención y qué o cuáles son los beneficios que se esperan con el conocimiento obtenido.
- **Explica por qué se debe realizar *ese* proyecto y no otro**, por qué tal alternativa (según nuestra evaluación) resulta la óptima respecto de las situaciones que necesitamos enfrentar.
- Generalmente, una justificación abordará temas como[86]:
- Los antecedentes del proyecto y el modo en que el proyecto se vincula con semejante tradición o trayectoria, esto es, de qué modo se inserta en su campo específico.
  - La importancia y pertinencia del proyecto en su área específica de saberes o actividades, o sea, su aporte específico para la humanidad.
  - Las novedades o innovaciones que ofrece a los futuros lectores e investigadores del área.
  - La forma en que se manejarán los aspectos teóricos, metodológicos y prácticos que implica llevar a cabo el proyecto.
  - De aplicar, también deberá abordarse la viabilidad económica o logística del proyecto, de cara a los posibles resultados obtenidos.

---

85 https://concepto.de/justificacion-de-un-proyecto/#:~:text=La%20justificaci%C3%B3n%20es%20uno%20de,%E2%80%9C%C2%BFPara%20qu%C3%A9%3F%E2%80%9D.

86 https://concepto.de/justificacion-de-un-proyecto/#:~:text=La%20justificaci%C3%B3n%20es%20uno%20de,%E2%80%9C%C2%BFPara%20qu%C3%A9%3F%E2%80%9D.

- Una justificación puede ser tan extensa como se lo necesite, pero usualmente se prefieren perspectivas lo más detalladas posible.

2.1 Pertinencia. En los *estudios de pertinencia*, se sustenta la necesidad de realizar el proyecto con argumentos convincentes (¿para qué?), apoyados en elementos teóricos, empíricos, institucionales, etc.; y ayuda a decidir si el proyecto "se está desarrollando en el tiempo y lugar adecuado[87]".

- Como apoyo para los estudios de pertinencia, realiza el ejercicio de la tabla 12.

Tabla 12. **Ejercicio**. Estudios de Pertinencia.

Argumentos teóricos, empíricos, institucionales, etc.	¿Cómo se relaciona el proyecto que diseñaste con el programa que estás estudiando?	¿Se está desarrollando en el tiempo y lugar adecuado?

Ángeles et al, citado en Domínguez (2019).

2.2 Visualización de los alcances[88] y limitaciones. Se explica por qué es importante desarrollar la intervención, y de qué manera el proyecto contribuye al mejoramiento o a la solución (**beneficios**) de la **situación crítica** objeto de intervención.

87 Ángeles et al, citado en Domínguez (2019).
88 Considerar *la Estructura del Desglose de Trabajo* (EDT).

- Se explican los **alcances**
- Se explican las **limitaciones**
- **Quiénes se benefician** directa e indirectamente con ella
- En qué **plazo**
- Como apoyo para la visualización de los alcances y limitaciones del proyecto (justificación) realiza el ejercicio de la tabla 13.

Tabla 13. **Ejercicio**. Visualización. Alcances, limitaciones y beneficiarios

Beneficios	
Interés o relevancia personal, profesional, empresarial, institucional y/o social del proyecto	¿Por qué es conveniente elaborar el proyecto?

Alcances	Limitaciones	Beneficiarios

Considerar la Estructura del Desglose de Trabajo (EDT).

"A veces puede ocurrir que la justificación [...]es adecuada (es de gran interés) pero no es **viable** su realización. Esto suele ocurrir sobre todo cuando el [interventor] no tiene experiencia, por lo que siempre es conveniente realizar un análisis de la viabilidad del proyecto. Una vez establecidos los objetivos del estudio, es necesario plantearse la siguiente pregunta: ¿es posible realizar la [intervención] que se está planteando?" (Gómez, 2009 en UNIR, 2022[a]).

Para contestar esta pregunta retoma las tablas 5 y 9; además de responder las siguientes preguntas sugeridas por Lerma (2009):

- ¿El proyecto se puede terminar en el tiempo estimado?
- ¿Es posible conseguir el dinero necesario para llevar a cabo la investigación?
- ¿Se tienen disponibles todos los recursos materiales?
- ¿Se cuenta con el apoyo institucional o de los profesionales adecuados para obtener los datos?
- ¿Se cuenta con los profesionales capacitados para llevar a cabo el trabajo?

3. DELIMITACIÓN DEL PROBLEMA DE INTERVENCIÓN (D) (fase de planeación).

- Este es el «paso cuatro» del Modelo IDEA y es en el que se definen la pregunta principal y el objetivo general de intervención.
- El problema se expresa en forma de interrogación (oración interrogativa) y debe de haber coherencia entre los objetivos y las preguntas.

2.1 Pregunta principal de intervención[89] (realiza el ejercicio de la tabla 16). Se formulan **preguntas concretas y precisas** (usualmente una principal y otras derivadas de ésta), en torno a la problemática diagnosticada objeto de intervención, cuyas respuestas sean, esencialmente, **la contribución** que hará el proyecto para resolver la situación crítica.

- Se diseña para cumplir con tres condiciones indispensables, debe ser:
  - Concisa, escrita en un lenguaje sencillo, claro, sin ambigüedades y adaptado al tipo de lector que va dirigido.
  - Relevante y posible de ser respondidas con los recursos disponibles dentro de un cronograma.
  - Integrado por los componentes siguientes (figura 6):

89 Para su formulación considerar el acrónimo FINER y el Modelo PICOT. https://www.questionpro.com/blog/es/pregunta-de-investigacion/

- **Interrogante** (oración interrogativa) + **Variable** (situación crítica o categorías a estudiar) + **Unidad de Observación** (tipo de población) + **Contexto** (tiempo y espacio específico)

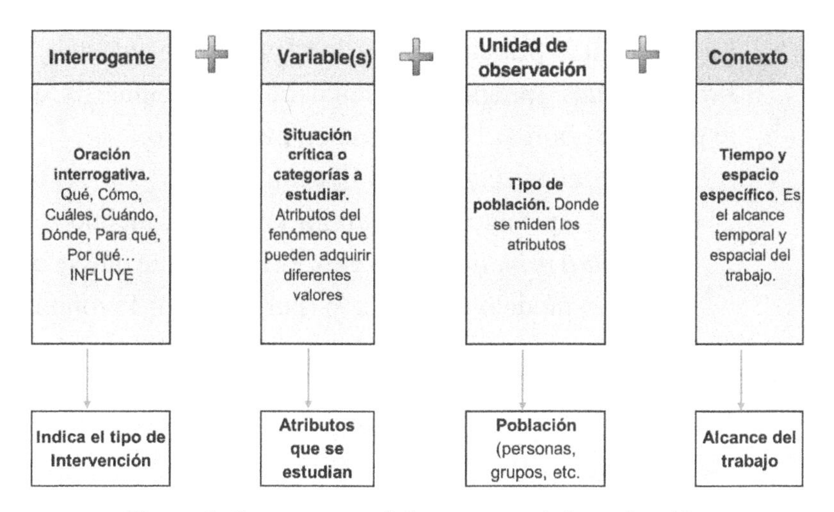

Figura 6. Componentes de la pregunta de investigación

Fuente. Adaptación de Yuni et al, 2010.

- Deben estar *alineadas* tanto a las ***palabras clave*** como a los **Objetivos de intervención**.
- La pregunta principal es el aspecto medular en una **intervención,** es el pilar de todo estudio, "[...]es el cuestionamiento central que un estudio se plantea responder y ayuda a definir con claridad el camino para el proceso de investigación[90]]; por lo que es el punto de interrogación primordial.
- Su planteamiento es producto de la **idea de intervención**, profundización en la teoría del fenómeno de interés, revisión de estudios previos, entrevistas con expertos, entre

90 https://www.questionpro.com/blog/es/pregunta-de-investigacion/

otras, y **pretende dar respuesta a la problemática que deriva del planteamiento del problema**.

- Comúnmente es la *antesala* de la metodología de intervención y determina el ritmo de trabajo a seguir.
- Esta pregunta usualmente aborda un problema o cuestión que, a través del análisis de los datos y la interpretación, **es respondida en la conclusión** de la intervención.
- Las preguntas principales se dividen, por lo general, en *sub-preguntas* (preguntas secundarias) y/o hipótesis que te permiten abordar la intervención paso a paso.
  - Las preguntas secundarias deberán diseñar con **verbos** (acciones) que ayuden a cumplir los verbos incluidos en la *pregunta principal*. Para ello, es importante que se utilice algún modelo taxonómico (por ejemplo: Taxonomía de Bloom, Taxonomía de Marzano).
  - Estos mismos verbos deberán tener correlación con los **verbos** utilizados en el *Objetivo General* como los *Objetivos secundarios*.
- Propone presentar interrogantes que puedan ser objeto de evaluación, admitan ser modificados, ampliados o enriquecidos en el transcurso de la intervención.
- En la mayoría de los estudios la pregunta está escrita de manera que:
  - Resalte los principales aspectos de un estudio,
  - Incluyendo el problema que el estudio abarca,
  - la población y
  - las variables que serán estudiadas, ver figura 7.

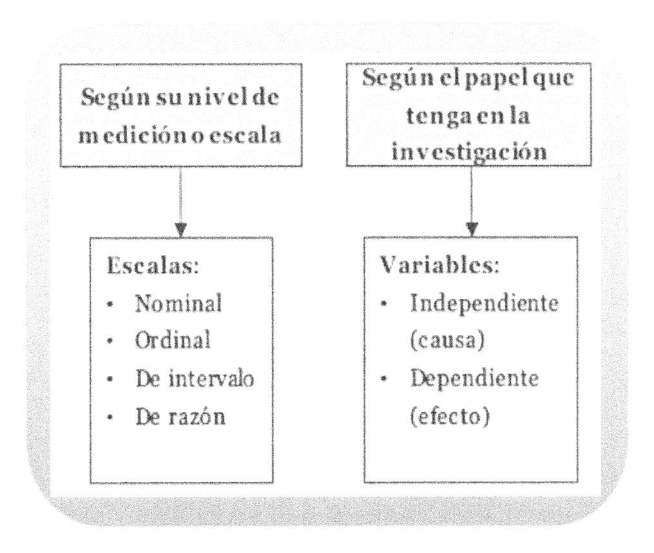

Figura 7. Tipos de variables
Fuente. Torres Maldonado (2022)

Nota: Aunque el propósito de este manual es la construcción de un proyecto de intervención, cabe señal que se realiza juntamente con la una investigación y delimitación de la problemática; por lo que se mencionan los *tipos de preguntas de investigación*: (Descriptivas, Correlacionales, Comparativas, Explicativas). Ver tabla 14.

Tabla 14. Tipo de preguntas

Tipo de pregunta	Características	Ejemplos
Descriptiva	Su objetivo es describir la variable de forma independiente. Preguntas tipo ¿Qué...? ¿Cuántos...? ¿Cómo...?	¿Cuántos niños tienen problemas de atención en el aula de 6º de primaria al comienzo del curso? ¿Cómo es el nivel de creatividad en los alumnos de Educación Infantil? ¿Qué tipo de lateralidad tiene los alumnos de 6º de primaria?
Correlacional	Su objetivo es determinar la relación entre dos o más variables. Preguntas tipo ¿Qué relación hay entre...?	¿Qué relación hay entre la memoria de trabajo y la comprensión lectora en alumnos de 1º de primaria? ¿Hay relación entre la motricidad y la atención en alumnos con TDAH?
Comparativa	Su objetivo es comparar dos grupos de sujetos. Pregunta tipo ¿Hay diferencias entre...?	¿Hay diferencias entre los alumnos en función de su rendimiento académico (alto/bajo) en el nivel de creatividad en alumnos de 10 años?
Explicativa	Su objetivo es buscar las relaciones causales (causa-efecto). Preguntas tipo ¿Cómo influye...? ¿Cuál es el efecto...?	¿Cuál es el efecto de un programa de intervención sobre las funciones ejecutivas en niños con Trastorno del Espectro Autista?

Fuente. Torres Maldonado (2022)

"Las preguntas de investigación comúnmente se terminan de aterrizar en el transcurso del estudio. Como resultado, estas preguntas son dinámicas, lo que significa que los investigadores [interventores]pueden cambiar o refinar la pregunta de investigación [intervención]conforme van revisando la literatura relacionada y van desarrollando un marco de trabajo para el estudio.
Mientras que muchos proyectos de investigación [intervención]se centran en una sola pregunta de investigación [intervención], los estudios más grandes pueden usar más de una pregunta."[91]

- Para la construcción de la pregunta de intervención considerar el apartado Identificación de la problemática de intervención, **primordialmente punto:** *Antecedente.* También el ejercicio de la tabla 15 ayuda en el diseño de la pregunta de principal.

Tabla 15. **Ejercicio**. Diseñando la Pregunta Principal

Contribución para resolver la situación crítica	Resalta algunos de los principales aspectos de un estudio	**Incluye:** →	El problema que el estudio abarca	A la población de estudio	Las variables que serán estudiadas

2.1 Objetivo General de intervención. Se establece la **fina-**

91 https://www.questionpro.com/blog/es/pregunta-de-investigacion/

lidad del proyecto, es decir, determina qué pretende la intervención que estoy realizando, lo que se conseguirá después de ponerla en marcha.

- Para construir un objetivo se consideran los elementos que Gómez (2009) plantea como su estructura (ver figura 8).
- En el **Verbo** se describe la acción que posteriormente se evaluará.
- La **Variable**(s) considera los atributos del fenómeno o situación crítica.
- La Unidad de Análisis o de *Observación* es la población por intervenir (**Sujeto**).
- **Lo esperado**, el «para qué».
- El **Contexto** es el alcance temporal y espacial del trabajo.

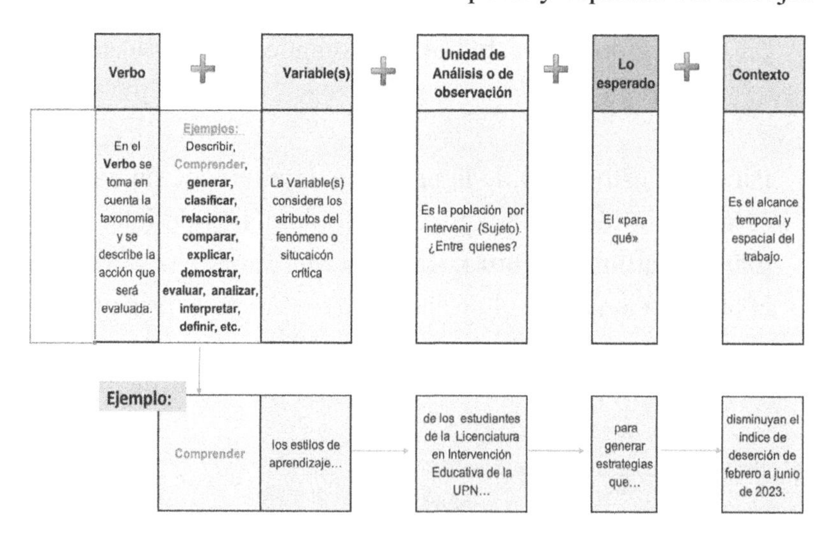

Figura 8. Estructura de un objetivo de intervención

Fuente: Adaptado de Gómez (2009)

- Un objetivo es un trabajo de **gestión**, dicho en otras palabras, que sean medibles, alcanzables, relevantes, temporales; algunas preguntan de gestión de objetivos son:
- ¿Cuánto necesitamos? ¿Cómo se hará el seguimiento? ¿Es

realista? ¿Para qué se elabora?, y ¿a cuánto tiempo?; considerando continuamente que se **rentabilice** el ahorro sin riesgos.

- Una metodología que ayuda en la elaboración de objetivos es SMART, que es "[…]un sistema de gestión de objetivos que nos permitirá marcar metas de manera inteligente (tal como su nombre indica), para aumentar las posibilidades de éxito de un proyecto"[92].
    - El concepto de SMART apareció por primera vez en el año 1981, en el artículo *There's a S.M.A.R.T. Way to Write Management's Goals and Objectives* de George T. Doran, publicado en el libro Management Review de Peter Drucker. Más adelante, en el año 2003, Paul J. Meyer profundizó en el tema y describió con más detalle las características de los objetivos SMART en el libro *Attitude Is Everything: If You Want to Succeed Above and Beyond.* Según las definiciones establecidas por estos autores, los objetivos SMART son un conjunto de metas concretas que cumplen con los cinco componentes básicos que forman el acrónimo SMART; cada letra se refiere a un criterio diferente para juzgar los objetivos. Hay alguna variación en el uso de la definición original de George T. Doran (1981), pero quizás los criterios más utilizados hoy en día son (la primera palabra es la original):
- **Specific**. Específico. Enfocar un área específica para la mejora. Strategic: Estratégico.
- **Measurable**: Medible, cuantificable, o al menos, que tenga un indicador para monitorear su progreso; Motivating: Motivador.
- **Assignable**: Asignable (especificar quién lo hará). Attaina-

92 Doctorado en Dirección Estratégica y Gestión de la Innovación. CEPC Universidad. Actividad 5. Diapositiva 14

ble: Alcanzable Achievable: Realizable. Factible (que puede ser hecho). Aspiracional, ambicioso (deseo por conseguir una cosa que se considera muy importante). Alineado con los objetivos corporativos

- **Realistic**, Realista. Especificar los resultados que realmente se pueden lograr en función de los recursos disponibles. Relevant: Relevante. **Resourced**: Con recursos. Results-based: Basado en resultados.
- **Time based**: Enmarcados en un periodo de tiempo. Time-bound: Limitado en el tiempo. Trackable: Rastreable.

> "¿Cómo escribes objetivos trascendentales?» – esto es una declaración de los resultados a lograr. Todos los administradores están confundidos por todos los seminarios, libros, revistas, asesorías recibidas, etc. Por lo tanto, me permito sugerir que cuando se trata de escribir objetivos efectivos, directivos, administradores y supervisores solo tienen que pensar en el acrónimo SMART. Idealmente hablando, cada objetivo o meta de cada institución, departamento y jefatura debe ser SMART" (George T. Doran, s.f.[93]).

El acrónimo SMART ha cambiado a través del tiempo, algunos autores han agregado letras adicionales dando criterios adicionales; por ejemplo, Duncan Haughey (2014) en «A brief history of SMART goals»[94] expande el acrónimo con la incorporación de áreas adicionales hasta convertirse en **SMARTER**:

---

93 George T. Doran, un consultor y director de Planeación para la Compañía de Agua de Washington, publicó un artículo titulado: *There is a SMART way to write management's goals and objetives*, que en español sería: «Existe una forma SMART o INTELIGENTE de escribir metas y objetivos». https://insadisa.com/podcast/80-origen-de-los-criterios-smart/

94 Project Smart fue el primer sitio web en poner la definición SMART en línea. Poco después, el sitio fue contactado por el hijo de George T. Doran, Sean Doran, quien confirmó que su padre había desarrollado el acrónimo SMART en noviembre de 1981.

- Evaluado: Evaluar el grado de cumplimiento del objetivo.
- Revisado: Realizar los ajustes necesarios para lograr el cumplimiento del objetivo.

SMARTER

- Evaluated and reviewed. Evaluado y revisado (Graham, 2013).
- Evaluate consistently and recognize mastery. Evaluar consistentemente y reconocer el dominio (Piskurich, 2011).
- Exciting and Recorded. Emocionante y grabado (Mac, 2017).
- Exciting and Reach. Un gol debe emocionar y motivar a un atleta, y hacerlos que "alcance en" y amplíen sus habilidades, empujándolos más allá de su zona de confort.
- Ethical & Resourced, as mentioned. Ético y con recursos[95].

SMARTTA

- Trackable and agreed. Rastreable y acordado (Dwyer et al, 2015).

SMARRT

- Realistic and relevance. "Realista'" se refiere a algo que se puede hacer con los recursos disponibles. La "relevancia" garantiza que el objetivo esté en consonancia con el panorama y la visión más amplios (Atkinson, 2012).

I-SMART

- Impact. Una meta u objetivo social que demuestre "Impacto" (Brown, 2021)
- Es posible que del **objetivo general** se deriven otros específicos[96], pero todos deberán estar alineados a las preguntas

95 https://www.projectsmart.co.uk/smart-goals/brief-history-of-smart-goals.php

96 Para su construcción, atiendan lo indicado por el acrónimo SMART, así como los niveles taxonómicos pertinentes como "etapas o pasos" de un mismo proceso; esto conduce más naturalmente hacia la *delimitación* del problema y objetivo rectores. En cuanto a los objetivos específicos, es importante recordar que se relacionan directamente con los objetivos generales [rectores], deta-

de intervención, ser claros, realizables y redactados con un **verbo** (que es la *acción que guiará el análisis de resultados*) en infinitivo al inicio.

- Realiza el ejercicio de la tabla 16. También el de las tablas 17 y 18, ya que en estas últimas se puede hacer una verificación de los indicadores más relevantes tanto de la **Delimitación del problema** como del **Planteamiento del Problema de Intervención** (que corresponde a toda la Etapa I).

Tabla 16. **Ejercicio**. Construcción del Objetivo Gral. de Intervención

¿Por qué?		SMART				
	Surge de la respuesta ¿Para qué? (Justificación o Defensa)	***Specific***/*Strategic*: específico (Qué)/Estratégico	***Measurable*** /*Motivating*: medible (Cuánto) Motivador	***Assignable.*** *Achievable*: Asignable (Con quien) /realizable (Con qué)	**Realistic** /*Relevant*: Realista (Cómo) /relevante (Para qué)	***Time based***: con límite de tiempo (Cuándo)

Tabla 17. **Ejercicio**. Delimitación del problema. Indicadores

SI/NO	Indicadores	Observaciones
	¿Se ha detectado un campo problemático de la realidad que amerite una intervención de fondo?	
	¿Se ha revisado y cuestionado suficientemente la literatura?	
	¿Se han planteado relaciones, conexiones, que permitan el esclarecimiento del objeto de intervención?	
	¿Ha establecido un diálogo con los autores y, a partir de ellos, con su objeto de intervención?	
	¿Ha identificado el problema y los pseudoproblemas?	
	¿Se han identificado el problema principal y los secundarios?	

llando los procesos necesarios para su realización. De esta forma, los objetivos específicos sirven como una guía de la manera como será abordado el trabajo.
Los objetivos específicos deben presentar en detalle las metas del proyecto. Así se relaciona el objeto estudiado con sus particularidades y se identifican los pasos a seguir para cumplir el objetivo general. https://www.diferenciador.com/objetivos-generales-y-objetivos-especificos/

Tabla 18. Ejercicio. Planteamiento del problema. Indicadores

SI/NO	Indicadores	Observaciones
	¿Se ha detectado un campo problemático de la realidad que amerite una intervención de fondo?	
	¿Se ha revisado y cuestionado suficientemente la literatura?	
	¿Se han planteado relaciones, conexiones, que permitan el esclarecimiento del objeto de intervención?	
	¿Ha establecido un diálogo con los autores y, a partir de ellos, con su objeto de intervención?	
	¿Ha identificado el problema y los pseudoproblemas?	
	¿Se han identificado el problema principal y los secundarios?	

CAPÍTULO III. PROYECTO DE INTERVENCIÓN III

II. METODOLOGÍA DE INTERVENCIÓN[97][98]

- Con la metodología de intervención se continúa con la segunda etapa del Modelo IDEA. La tarea principal es diseñar el proceso metodológico de intervención (D), «paso cinco».
- Es una *hoja de ruta de la propia intervención* en la que se incluye "[...]toda la información sobre el proceso seguido en la investigación hasta conseguir obtener los resultados, de forma que el lector [tenga] a su disposición toda la información necesaria para replicar el estudio en caso necesario" (UNIR, 2022[C]).
- **Argumentos**. Se argumenta la elección del enfoque[99] o perspectiva paradigmática y la de la metodología de intervención (método[100], técnicas, e instrumentos a utilizar); se

---

97 Plan o estrategia por seguir para cumplimentar con los objetivos propuestos. Se vincula con el contexto teórico desde el cual se plantea el proceso de investigación [intervención]. Las resoluciones metodológicas deben guardar coherencia con el modo de formular el problema, los objetivos y los referentes teóricos (Achilli, 2005).
Según Baena (2017) la *Metodología* contesta a la pregunta *cómo llegar a la ciencia*; y es la información no sólo del *qué* sino el *por qué*, y se define, de manera operacional, como el estudio crítico del método, o bien como la lógica particular de una disciplina. El *Método* es el procedimiento o serie de pasos que nos llevan a la obtención de conocimientos sistematizados. Las *Técnicas* son los pasos que ayudan al método a conseguir su propósito. Para fines de este trabajo se subdividieron en: técnicas de investigación documental y técnicas de intervención de campo, para observar e interrogar. Los *Instrumentos* apoyan a las técnicas en [la medición del objetivo].
Los instrumentos son el medio con el que se podrá registrar y obtener la información necesaria para verificar el nivel de logro de los objetivos.
El **desarrollo metodológico** responde a la pregunta ¿qué pasos voy a seguir para llevar a cabo mi *estudio-intervención*?
98 Considerar las *Fases metodológicas* según Ávila (2019, p. 7).
99 **Enfoque**: es el nivel en el que se especifican los supuestos y las creencias sobre la lengua y su aprendizaje (Richards, 1983).
http://www.quadernsdigitals.net/index.php?accionMenu=secciones.VisualizaArticuloSeccionIU.visualiza&proyecto_id=361&articuloSeccion_id=6665#:~:text=%22En%20resumidas%20cuentas%2C%20m%C3%A9todo%20es,ve%20determinada%20cuesti%C3%B3n%20o%20problema
100 **Método**: es el nivel en que se pone en práctica la teoría, en el que se toman las decisiones sobre las destrezas concretas que se enseñan, el contenido que se enseña y el orden en el que el

revisa que los argumentos sean *sólidos*.

- La elección de las técnicas dependerá, del modelo[101] de diagnóstico adoptado, del método (s) y también de las propiedades que las avalan; es decir, de su objetividad, fiabilidad, validez, utilidad y costos
- Es una de las actividades clave de todo proyecto, debido a que un diseño metodológico adecuado facilita la implementación de la intervención y beneficiará más adelante el proceso de *análisis, interpretación y discusión de resultados*.

- Para coadyuvar a resolver la complejidad propia de la **Metodología** se requiere de un tipo de pensamiento instrumental que permita ver más allá de donde ven los ojos (*Pensamiento estratégico*), esto es, que el análisis [favorezca la resolución de] situaciones que, aunque no sean visibles [...] ayuden a entender los problemas (Baena, 2017); continuando con lo que dice esta misma autora:

> La Metodología ejerce el papel de ordenar, se apoya en los métodos, como sus caminos y éstos en las técnicas como los pasos para transitar por esos caminos del pensamiento a la realidad y viceversa. Éstas en los instrumentos específicos para recabar sus datos.

---

contenido se presenta (Richards, 1983). Ibidem. "En resumidas cuentas, método es el **camino o proceso** para alcanzarse un objetivo, mientras enfoque es el **punto de vista o perspectiva** con que se ve determinada cuestión o problema. Aunque sean cosas distintas, método (camino) y enfoque (punto de vista) son fundamentos de la investigación científica» (Manhaes, 2006).

101 Un modelo es una construcción teórico-formal que fundamentada científica e ideológicamente interpreta, diseña y ajusta la realidad pedagógica que responde a una necesidad concreta, es decir, un modelo es una representación teórica que luego llevamos a la práctica en un contexto determinado. https://www.theflippedclassroom.es/modelo-enfoque-metodo-metodologia-tecnica-estrategia-recurso-cuando-debemos-emplear-cada-uno-de-estos-terminos/

3. DISEÑO METODOLÓGICO DE INTERVENCIÓN (D).

3.1 Identificación de las **perspectivas** (enfoques) **paradigmáticas**. En este espacio solamente se argumenta el sentido de elección de la perspectiva o enfoque paradigmático.

- El sentido de elección de la perspectiva paradigmática se determina de acuerdo con el **valor** que **agreguen al estudio** en comparación a la utilización de otros enfoques.
- En este punto se hace una pequeña reflexión acerca de las diferentes perspectivas paradigmáticas al recordar que todo proyecto de intervención parte de un sistema de creencias (supuestos de partida) que, en este caso, surgen a partir de la descripción de tres preguntas (Guba, 1990, citado en Gallardo, 2017):
  a) Pregunta ontológica. ¿Cuál es la naturaleza de lo que conocemos?
  b) Pregunta epistemológica. ¿De qué naturaleza es la relación entre el *investigador-interventor* y aquello que desea conocer?
  c) Pregunta metodológica. ¿De qué manera se deberá proceder para acceder al conocimiento?
- Algunos ejemplos de enfoques que se utilizan son los ***Cuantitativos y Cualitativos***, incluso se suelen combinar diferentes enfoques, entonces se agrega el nombre de enfoque ***Mixto***.
- La elección dependerá principalmente de **factores** como:
- a. Es el que mejor se adapta y armoniza **planteamiento del problema.**
  a.1 La **naturaleza** o **fenómeno** del problema.

b. La aproximación en la cual el ***interventor*** posea mayor **entrenamiento** o **conocimiento**. Se explica brevemente el contexto «*espacio-temporal*» en donde se implementará el proyecto de intervención (se recomienda revisar el marco referencial/contextual que se trabajó en el **Planteamiento del problema de intervención**).

3.2 Se elabora el plan de acción del proyecto con los pormenores de las estrategias, se incluye (ver anexo 20):

4.3.1El **Cronograma**[102] de trabajo (incluir la *ruta crítica* de actividades y tiempos).

4.3.1.1Puede derivar del punto 2.2.6 **Esquema preliminar de intervención**. Podría utilizarse la lógica de construcción siguiente:
Diagrama de flujo --› **Estimaciones** (parte de los **alcances**, considerando **tiempo** y **costos**) --› **Diagrama de Gantt**[103]

4.3.1.24.3.1.2 Los **Recursos** con los que se cuenta (incluir programas informáticos que se utilizan como: Word, SPSS, ATLAS ti, Excel, etc.)

4.3.2 Los **Sujetos involucrados** (participantes).

4.3.3 El **Método**[104](s), **Técnica**(s) e Instrumento(s) de in-

102 Es una herramienta técnico-administrativa para **proyectar** la *investigación-intervención*, su función va más allá de medir el tiempo y las acciones a realizar.

103 Fue creada en 1910 por Henry Gantt y es una herramienta es útil para programar y planificar proyectos que propicia una vista general de las tareas programadas, en donde todas las partes implicadas sabrán qué tareas tienen que completarse y en qué fecha [...] surgió como medio para informar acerca de las fechas de inicio y fin de las distintas tareas de un proyecto, ya que se presenta en forma de tabla en la que se combinan las actividades en un marco temporal, ocupando un eje distinto cada una de estas variables (por lo general los días, semanas o meses se recogen en sentido horizontal, mientras que las actividades, tareas e hitos lo hacen en el vertical). https://www.obsbusiness.school/blog/diagrama-de-gantt-origen-precauciones-usos-y-aplicaciones

104 Algunos ejemplos de **Metodológicas** y **Modelos teórico** de Intervención: Modelo de investigación- acción; Sistémico socio-técnico; De desarrollo organizacional; De contingencia estructural; De aprendizaje organizacional; Estudio de caso; Investigación clínica; Antropología cognitiva; Indagación colaborativa; Indagación dialógica; Análisis del discurso; Método de consulta social; Interaccionismo simbólico; Historia de vida; De intervención estratégica; Identitario-cultural; Accionalista;

tervención.

- Se definen los métodos, técnicas e instrumentos de recogida de información.
- Se argumenta el "por qué" y el "para qué" de la elección.
- En este espacio se incluyen los instrumentos con los que se recogerá la información, se explica la **confiabilidad**[105] y **validez**[106,107] del (los) **Instrumento**(s) de intervención y **el procedimiento** que se llevará a cabo.

4.3.4 El diseño del **Sistema de evaluación** de la intervención.

4.3.4.1 Se diseñan o eligen bajo una clara argumentación los instrumentos de evaluación y seguimiento (fijación de los **Sistemas de monitoreo, revisión y control**).

- En este espacio se incluyen los instrumentos con los que se evaluará y el procedimiento que se llevará a cabo.

4.3.4.2 Se determina si se adaptarán instrumentos ya existentes para la recogida de información, o será necesario el diseño de nuevas herramientas.

Notas:

Socio-analítico; Modelo clínico-analítico; Análisis de contenido; Etnografía; Etnografía del habla; Etnometodología; Etnociencia; Estudio de campo; Hermenéutica; Investigación en panel; Observación participante; Fenomenología; Fenomenografía; Historia oral.

105 En la investigación cualitativa, **la confiabilidad se refiere** a "[...] el grado en que diferentes investigadores que recolectan datos similares en el campo y efectúen los mismos análisis, generen resultados equivalentes [...]" y que "[...] no se expresa por medio de un coeficiente, sino que simplemente se trata de verificar la sistematización en la recolección y el análisis cualitativo.". Franklin y Balan (2005), citados en Hernández-Sampieri et al (2014, p. 453 y 454).

106 En cuanto a la **validez**, en el paradigma cualitativo esta se suele designar *credibilidad*, y hace referencia a "si el investigador ha captado el significado completo y profundo de las experiencias de los participantes, particularmente de aquellas vinculadas con el planteamiento del problema" (Saumure y Given, 2008b en Hernández-Sampieri et al, 2014 p. 455). Tanto Hernández-Sampieri et al (2014) como Burns (2009) y Franklin y Ballau (2005) sostienen que para lograr dicha *credibilidad*, los datos deben corroborarse mutuamente, formando un todo que se justifica por los mismos datos que lo integran y debe existir además una correspondencia entre las descripciones elaboradas y los hechos, lo cual se verificará en la validación de la intervención, cotejando los indicadores arrojados por la matriz del cambio planeado, además de solicitar el juicio de expertos.

107 En la investigación cualitativa, y siguiendo a Saumure y Given (2008b), Hernández-Sampieri y Mendoza (2008) y a Cuevas (2009), se prefiere utilizar el término "rigor", en lugar de validez o confiabilidad (Hernández-Sampieri et al, 2014 p. 453).

- El **sistema de evaluación** se va construyendo desde **las primeras etapas del proyecto** (Planteamiento del problema y Metodología) y se recomienda que se registre puntualmente todo aquello que se considere oportuno en una **bitácora** o en un **diario personal**
- En caso de requerirse una ***Prueba piloto*** del instrumento (s), este se **aplicará** antes de la ***Implementación de la estrategia de intervención***.

- Se pide contestar las preguntas de la tabla 1 para revisar que todo el proceso metodológico se encuentre *alineado*.

Tabla 19. **Ejercicio**. Proceso metodológico. Contestar a la pregunta: ¿Cómo?

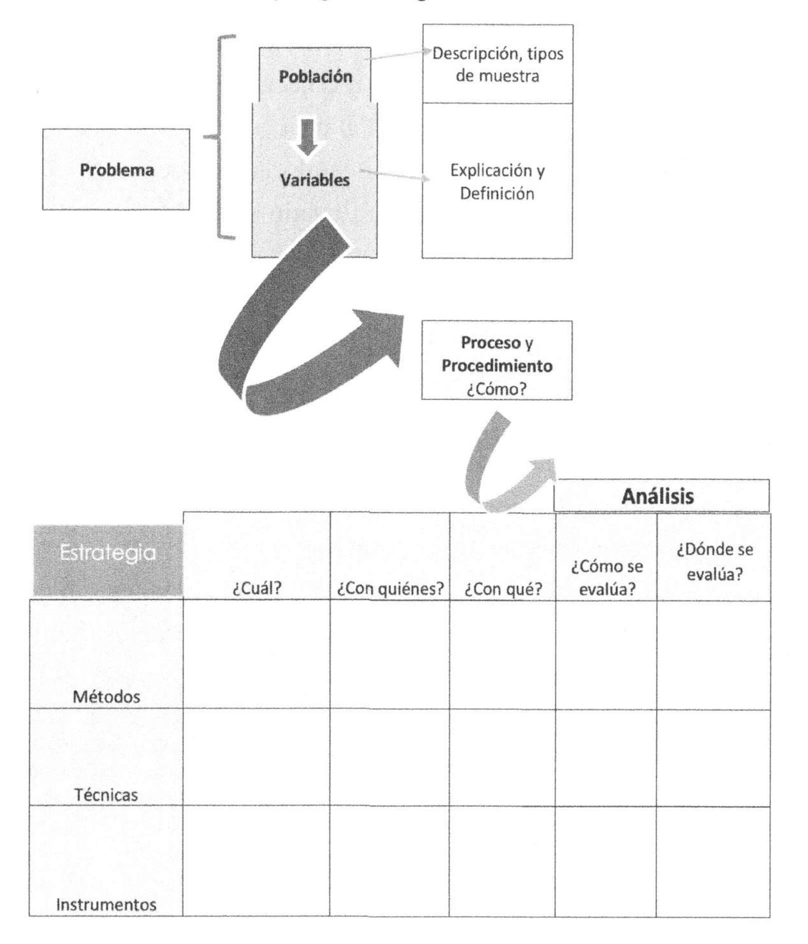

Estrategia	¿Cuál?	¿Con quiénes?	¿Con qué?	¿Cómo se evalúa?	¿Dónde se evalúa?
Métodos					
Técnicas					
Instrumentos					

CAPÍTULO IV. PROYECTO DE INTERVENCIÓN IV

III. IMPLEMENTACIÓN DE LA ESTRATEGIA DE INTERVENCIÓN (fase de Implementación)

- En esta tercera etapa del Modelo IDEA es el momento para aplicar o ejecutar el plan de intervención (E), «paso seis» del Modelo IDEA.
- Sin embargo, antes de continuar con esta etapa, se requiere que:
  a. En caso de ser necesario, que ya se halla(n) aplicado la(s) ***Prueba(s) Piloto***[108], donde se comprueba(n) la **Confiabilidad** y **Validez** del (los) **Instrumento**(s) de intervención.
  b. Se revise de nueva cuenta el **diseño** de intervención (metodología) que se realizó para confirmarlo o modificarlo. Una vez que se llevó a cabo la revisión, se está listo para la ejecución del proyecto y la recolección de los datos.
- Las tablas 18 y 19 facilitan el proceso de monitoreo y control una vez que se está aplicando la intervención; por ello se pide que se considere su llenado sistemático como parte de la ejecución del proyecto.

5. EJECUCIÓN DE LA INTERVENCIÓN (E)

5.1 Se aplica el plan de intervención según el cronograma de trabajo y las técnicas señaladas (tomar en cuenta la *ruta crítica*).

5.1.1 Se aplican los instrumentos de recogida de datos (recolección de los datos, tabla 20).

5.1.2 Se inician los **Sistemas de Evaluación** (monitoreo y control): Se **monitorean (revisión)** los recursos humanos,

108 Es un proceso de ensayo en la aplicación de la técnica seleccionada para la recolección de datos y su administración respectiva, que permita evaluar su eficiencia en función al problema motivo de investigación. Este proceso se lleva a cabo previo a la aplicación definitiva de la técnica a la realización del trabajo de campo propiamente dicho (Paz, 2008, citado en López-Osuna, 2016).

materiales, tecnológicos y financieros con los que se cuenta para asignarlos adecuadamente a cada tarea; al mismo tiempo que se asegura la correcta ejecución y el **control** del riesgo.

Tabla 20. **Ejercicio.** Recolección de datos

REVISIÓN (MONITOREO Y CONTROL DE RIESGOS)			
Recursos humanos	Recursos materiales	Recursos tecnológicos	Recursos financieros

5.2 Ajustes. Es fundamental que se estén revisando constantemente cada una de las etapas del proyecto de intervención al momento de estar ejecutándolo, esto porque pueden surgir imponderables que requieran cierto grado de *ajuste* (realiza el ejercicio de la tabla 21), por lo que es prioritario que desde el primer momento que se ejecuta la intervención se registren todos los datos que vayan surgiendo; un ejemplo de ello es que se examine que los objetivos sigan *alineados* a lo planeado.

Tabla 21. **Ejercicio.** Ajustes a la Recolección de datos

Revisión (monitoreo y control de riesgos) (Ajustes)			
Recursos humanos	Recursos materiales	Recursos tecnológicos	Recursos financieros

IV. ANÁLISIS, DISCUSIÓN E INTERPRETACIÓN DE

RESULTADOS (fase de Evaluación)

- Es el **reporte de la información recolectada** en el que se recupera, valora y sistematiza la información según los referentes teórico-conceptuales.
- Es una actividad primordial para verificar o refutar las hipótesis establecidas.

6 ANÁLISIS, EVALUACIÓN Y CONTRASTE (DISCUSIÓN) DE LOS RESULTADOS (A)

- En esta cuarta etapa del Modelo IDEA se procede con el análisis, evaluación y discusión de los resultados (A) y corresponde a su último «paso», el número «siete», que se realiza de acuerdo con los **objetivos de intervención**, los **referentes contextuales** y el marco **teórico-conceptuales**; por lo que se considera lo siguiente:

6.1 Necesidad de haber realizado adecuaciones
6.2 Impacto en el entorno y/o en los sujetos intervenidos
6.3 Eficacia y eficiencia de los productos obtenidos
6.4 Facilidades y dificultades presentadas
6.5 Se determina el grado de logro de las acciones emprendidas como parte de las medidas de control (solución parcial o total de la problemática).
    6.5.1 ¿La intervención solucionó parcial o totalmente la problemática?

Tabla 22. Esquema para procesar los Resultados*.

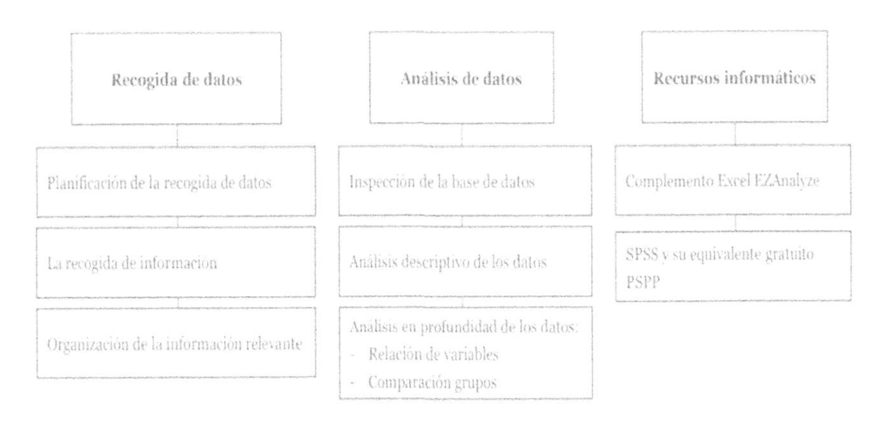

*Diseñado para estudios cuantitativos, aunque también se pueden utilizar algunos elementos para estudios cualitativos.

Fuente: Tema 8. Resultados (UNIR, 2022[d]).

- Al llevar a cabo el ejercicio de la tabla 23 se va revisando el proceso de **Análisis, evaluación y discusión de los resultados** de la intervención, por lo que se solicita su llenado.

Tabla 23. **Ejercicio**. Análisis, evaluación y discusión de los resultados

Necesidad de haber realizado adecuaciones	Impacto en el entorno y/o en los sujetos intervenidos	Eficacia y eficiencia de los productos obtenidos	Facilidades y dificultades presentadas	Grado o nivel de logro en relación con el objetivo general

¿La intervención solucionó parcial o totalmente la problemática?

Conclusiones y Recomendaciones

- Una vez procesadas las 4 etapas del Modelo IDEA, es el momento de realizar las **conclusiones y recomendaciones** finales; y no es sino hasta redactarlas que se finaliza con el **Ciclo del Modelo IDEA**, ver figura 3.
- En aquellas, se escriben las reflexiones finales y sintéticas sobre la experiencia de intervención. Si en la introducción se plantearon cuestionamientos iniciales, las **conclusiones** son la respuesta o el cierre de las inquietudes que motivaron la elaboración del *Proyecto de Intervención.*
- En línea general, las conclusiones son una síntesis dialéctica que deben reflejar las consecuencias más importantes de la intervención, ya sean:
  - Planteamiento de soluciones que permitan ofrecer reconsideraciones.
  - Refutación de teorías que sirvieron de marco de referencia al estudio.

- En las **conclusiones** se destacan los aspectos que a continuación se mencionan:

  - Principales respuestas a las preguntas iniciales.
  - Alcance de los **resultados globales** con relación a lo esperado (medición del nivel de logro del objetivo general).
  - Se explican las principales consecuencias de haber atendido la situación crítica que se pretendía solucionar.
  - Contribución personal a la mejora de la problemática.
  - Valoración del papel del interventor en la transformación de la realidad atendida.

- Es importante **verificar** dichas conclusiones; en otros términos, se espera que el interventor:

- Compruebe el valor de la verdad de los descubrimientos realizados a la validez de estos.
- Confirme que los resultados correspondan a los significados e interpretaciones que los participantes atribuyen a la realidad.

Las **recomendaciones**[109]en un estudio de intervención están dirigidas a proporcionar sugerencias a la luz de los resultados, en este sentido las recomendaciones están dirigidas a:

- Sugerir, respecto a la forma de mejorar los métodos de estudio.
- Proponer acciones específicas con base en las consecuencias.
- Sugerencias y posibilidades para futuras intervenciones, por ejemplo:
- Posibilidad de nuevas intervenciones ¿Qué intervenciones se visualizan a partir de este proyecto[110]?

De modo que las recomendaciones deben ser congruentes con los hallazgos y resultados afines con la intervención.

- Con el ejercicio de la tabla 24 se examinan los indicadores más destacados que se incluirán en las **Conclusiones y Recomendaciones** finales.

---

109 https://www.monografias.com/trabajos17/conclusiones-en-investigacion/conclusiones-en-investigacion

110 Se pretende utilizar el *Pensamiento prospectivo,* pensamiento anticipatorio que nace con la necesidad de que podamos saber las posibles o múltiples direcciones del futuro y estar preparados para lo que pueda suceder (Baena, 2017).

Tabla 24. **Ejercicio**. conclusiones y recomendaciones. Indicadores

SÍ/NO	Indicadores	Observaciones
	Incluye las principales respuestas a las preguntas iniciales	
	Relata los alcances de los **resultados globales** con relación a lo esperado (medición del nivel de logro del objetivo general)	
	Se explican las principales consecuencias de haber atendido la situación crítica que se pretendía solucionar	
	Describe la contribución personal a la mejora de la problemática	
	Se valora el papel del interventor en la transformación de la realidad atendida.	
	Se hacen sugerencias respecto a la forma de mejorar los métodos de estudio.	
	Se proponen acciones específicas en base a las consecuencias.	
	Se apuntan las posibles futuras intervenciones.	

V. ELABORACIÓN DEL REPORTE DE RESULTADO (INFORME FINAL DE INTERVENCIÓN)

- Para la elaboración del Reporte de resultados (Informe Final de Intervención) se considera lo siguiente:
- Que antes de elaborar el reporte de intervención, se define **el tipo de reporte** (en este caso, reporte final de intervención), esto depende de varias precisiones:
  1. Las razones por las cuales surgió la intervención.
  2. Los usuarios del estudio.
  3. El contexto en el cual se habrá de presentar.

- Lo que llevará a determinar el tipo de redacción del documento:
  - Enfoque cuantitativo: Los reportes utilizan un tono objetivo, impersonal, no emotivo.
  - Enfoque cualitativo: Los reportes utilizan un tono personal y emotivo.

REFERENCIAS CONSULTADAS

- Se relacionan alfabéticamente todas y cada una de las fuentes consultadas e incluidas en el texto para la elaboración del *Proyecto de Intervención*, de conformidad con el *Manual de publicaciones de la American Psychological Association*, APA (utilizar la versión más reciente).

- Achilli, E. L. (2005). Investigar en antropología social. Los desafíos de transmitir un oficio. Laborde Libros. Rosario.
- Adelheid, A. M; Pexman, P. (2007). Cómo crear tablas. Edit. Manual Moderno. México.
- Aguilar, J. P. (2015). Reingeniería Actitudinal: la ciencia y el arte de potenciar la actitud. Instituto de Reingeniería Actitudinal.
- Akiyama, A. (2009). Memoria de Licenciatura: "De políticas y programas: Ciudades Focales-Moreno". Los Polvorines: UNGS.
- Atkinson, M; Chois, R. T. (2012). Step-by-Step Coaching. Exalon Publishing, LTD.
- Arbeláez. A; Salazar, A. Modelo de Modernización para la Gestión de Organizaciones "MMGO" Caso Empresarial Corpapel S.A.S. Trabajo de grado para optar al título de Administrador de Empresas. Universidad EAN Facultad de Administración y Ciencias Económicas Programa de Administración de Empresas. Julio de 2012. Bogotá D.C.
- https://repository.ean.edu.co/bitstream/handle/10882/2606/ArbelaezAura2012.pdf;jsessionid=21A9903EEE221D43D56D7838770D62E6?sequence=4
- Ávila, G. (2020) Trabajo social, en salud: Teoría y praxis innovadora, en Revista Margen de Trabajo Social y

Ciencias Sociales-Argentina (ISSN 0327-7585). No.97, junio 2020. https://www.margen.org/suscri/margen97/Avila-97.pdf

- Ávila Cedillo, G. *Diagnóstico social en trabajo social: conceptos clave y metodología para su elaboración.* Margen N° 100 – marzo de 2021. https://www.margen.org/suscri/margen100/Avila-100.pdf
- Arias Galicia, F. (2001). Introducción a la Metodología de la Investigación en Ciencias de la Administración y el Comportamiento. México, Edit. Trillas.
- Baena, P. G. M. E. (2017). Metodología de la investigación (3a. ed.). Retrieved from http://central.proquest.com Created from bibliotecacijsp on 2018-07-30 15:50:55. http://www.biblioteca.cij.gob.mx/Archivos/Materiales_de_consulta/Drogas_de_Abuso/Articulos/metodologia%20de%20la%20investigacion.pdf
- Baritz, L. (1961). Los servidores del poder: historia del uso de la ciencia social en la industria norteamericana. Madrid: Europa
- Bell, J. (2002). Cómo hacer tu primer trabajo de investigación. Guía para investigadores en educación y Ciencias sociales. Edit. Gedisa, Edit. México.
- Bernárdez, M. (2007) Tecnología del Desempeño Humano. EEUU: AuthorHouse.
- Bertalanffy, L. (1928) Kritische Theorie der Formbildung, Borntraeger
- Bertalanffy, L. V. (1968). General system theory: Foundations, development, applications. G. Braziller.
- Bertrand, R. (1989). La perspectiva científica, Barcelona, Ed. Ariel.
- Borsotti, C. A. (2007), Temas de metodología de la investigación en ciencias sociales empíricas. Editorial Miño y Dávila. Buenos Aires.

- Bustos, W. (2009). Memoria de Licenciatura: "Aportes para el desarrollo local de la periferia pobre metropolitana: Proyecto de intervención urbanística en la zona de Cruce Derqui". Los Polvorines: UNGS.
- Brown, Q. (2021). Racial Equity Lens Logic Model & Theory of Change: A Step-by-Step Guide to Help Organizations Become More Confident in Their Ability to Demonstrate Outcomes. Monee, IL: Independently Published. p. 28.
- Cabello Cortés, A. (2022). Apuntes de clase.
- https://docs.google.com/document/d/18iXzMTMuI0pS-QtEgEeDNDzE9IVCNoIsq/edit#
- Cano, J. L. (2007). Business Intelligence: Competir con información. ESADE. México.
- Caro, L. 7 técnicas e Instrumentos para la Recolección de Datos. Lifeder. 21 de enero de 2021. https://www.lifeder.com/tecnicas-instrumentos-recoleccion-datos/.
- Carvajal Villaplana, Á. (2013). Teorías y modelos: formas de representación de la realidad. Revista Comunicación, 12(1), 33–46.
- https://revistas.tec.ac.cr/index.php/comunicacion/article/view/1212
- Chiavenato, I. (2006). Introducción a la teoría general de la administración. Mc Graw Hill Interamericana. Séptima edición, México http://desarrrolloadministrativo.blogspot.mx/2012/05/teoria-situacional.html
- Chiavenato, I. (s.f.). Comportamiento Organizacional.
- http://www.ucipfg.com/Repositorio/MAES/MAES-08/UNIDADES-APRENDIZAJE/UNIDAD1/presentacion%20chiavenato%20-sem%201.pdf
- Coffey, A; Atkinson, P. (2003). Encontrar el sentido a los datos cualitativos. Editorial Facultad de Enfermería de la Universidad de Antioquia. Colombia.

- Collins, J; Porras, J.I., *Built to Last: Successful Habits of Visionary Companies*. USA, Harper Business, 2004.
- Corona, B. *Dirección de proyectos. Gestión del Cronograma de Proyectos*. Universidad Tecmilenio. IT Institute-itora 01 de abril de 2022.
- Covey, S., Los siete hábitos de las personas altamente efectivas, Barcelona, Paidós Ibérica, 2015.
- De León Ardón, R. V. (s.f.). Construcción de Escenarios. Universidad Nacional Autónoma de México. Programa de Maestría y Doctorado en Ingeniería. Seminario de Pensamiento Sistémico y Análisis de Sistema. México.
- De León Estavillo, V; Rodríguez Reyes, S; Cirrlos Martínez, V. A. (s.f.). *Propuesta* de *estrategias* de *intervención para* las *empresas* familiares. XV Congreso Internacional de Investigación en Ciencias Administrativas. Facultad de Contaduría y Administración. Universidad Autónoma De Coahuila. Monclova, Coahuila.
- Del Castillo, A. (2008) Axiomas fundamentales de la investigación de mercados. Editorial Netbiblo. Primera Edición. España.
- Díaz Heredia, L. P. (editora) (2005). La investigación y el cuidado en América Latina. Grupo de cuidado. Universidad Nacional de Colombia. Colombia.
- Domínguez, Y. (2019). Estudios de factibilidad vs estudio de pertinencia: Un análisis comparativo y su aplicación en la educación. CCCSS Contribuciones a Las Ciencias Sociales. eumed.net.
- Doran, G. T. (1981). "There's a S.M.A.R.T. Way to Write Management's Goals and Objectives", Management Review, Vol. 70, Issue 11, p. 35-36.
- Duncan Haughey .13 de diciembre de 2014. https://www.projectsmart.co.uk/smart-goals/brief-history-of-smart-goals.php

- Dwyer, J.; Hopwood, N. (2010). Management Strategies and Skills. McGraw-Hill.
- Eyssautier de la Mora, M. (2002). Metodología de la Investigación. Desarrollo de la inteligencia. Colombia, Editorial ECAFSA.
- Franklin, E; Krieger M. (2011). Comportamiento organizacional. México: Editorial Pearson.
- Ferrel, O.C; Hartline, M. (2012). Estrategia de Marketing. 5ta. Edición. CENGAGE Learning. México.
- Fenster, A. *La médicine alternative, complémentaire, naturelle, douce, holistique, paralléle.* 16 de septiembre de 2011. https://www.sciencepresse.qc.ca/blogue/2011/09/16/medecine-alternative-complementaire-naturelle-douce-holistique-parallele
- Gallardo Echenique, E.E. (2017) Metodología de la Investigación. Universidad Continental. Huancayo-Perú.
- https://repositorio.continental.edu.pe/bitstream/20.500.12394/4278/1/DO_UC_EG_MAI_UC0584_2018.pdf
- García-Córdoba, F; García-Córdoba, L. T. La problematización. Etapa determinante de una investigación. Segunda edición. 2005. Instituto Superior de Ciencias de la Educación del Estado de México.
- García. J. A, et al (2011) Introducción a la metodología de la investigación en ciencias de la salud. Mc Graw Hill, México.
- Giroux, S; Tremblay, G. (2004). Metodología de las Ciencias Humanas. La investigación en acción. Primera edición en español. Fondo de Cultura Económica.
- Gómez, M. (2009). Introducción a la metodología de la investigación científica (2ª ed.). Madrid: Editorial Brujas.
- Grande Esteban, I. (2014). Marketing de los servicios. 4ta. Edición. ESIC. Madrid.

- https://books.google.com.mx/books?id=qTBg-oZ6WcY-C&lpg=PA35&hl=es&pg=PA35#v=onepage&q&f=false
- Guachetá Gutiérrez, E. (2018). Los problemas fundamentales del pensamiento crítico de Pablo González Casanova. V10 Nº 1 / ene-jun 2018 / p. 248-266.
- file:///C:/Users.flor/Downloads/Dialnet-LosProblemas-FundamentalesDelPensamientoCriticoDePa-6662668.pdf
- Hernández Sampieri, R. (2014) Metodología de la Investigación. Sexta Edición. México. Editorial McGraw-Hill.
- Harker, J; Cañon, Y; Jiménez, M. et al *Aplicación del Modelo de modernización para la gestión de las organizaciones–MMGO- en la empresa HJG1*, junio de 2018.
- https://repository.ean.edu.co/bitstream/handle/10882/9565/CanonYenny2019.pdf?sequence=1&isAllowed=y
- Horejs, I. (1995). Formulación y gestión de microproyectos de desarrollo. Buenos Aires: Hvmanitas.
- Hussain, S. T; Lei, S; Akram, T; Haider, M. J. (2016). Kurt Lewin's change model: A critical review of the role of leadership and employee involvement in organizational change.
- https://www.sciencedirect.com/science/article/pii/S2444569X16300087
- ilab future thinkers. Authentic Leaders: Emprendimiento
- basado en innovación social. 13 de marzo de 2019. https://ilab.net/tag/future-thinkers/
- Iglesias, G; N. Vázquez. (2009). Propuesta de intervención como trabajo final. En Iglesias, G. & G. Resala (coords.). Trabajo final, tesinas y tesis. Modalidades. Estructura metodológica y discursiva. Evaluación. Buenos Aires: Ediciones Cooperativas.
- Kawulich, B. (2005). Participant Observation as a Data

Collection Method. http//: qualitative-research.net.

- Kerlinger, F.N; Lee, H. B. (2000). Investigación del Comportamiento, Métodos de Investigación en Ciencias Sociales. Cuarta Edición. México, Edit. Mc Graw-Hill.
- Krieger, M. (2005). Sociología de las organizaciones: una introducción al comportamiento organizacional Pearson Educación. Buenos Aires https://bivir.uacj.mx/Reserva/Documentos/rva200577.pdf
- Kilmann, R. (1984). Más allá de las soluciones rápidas. San Francisco: Jossey-Bass Inc. Publishers. Ameridan Manegement Association.
- Kotler, P; Armstrong, G. (2012). Marketing. 14ª Ed. Edit. Pearson. México.
- Lana, R. A. (2008). La Administración Estratégica como Herramienta de Gestión. Revista científica visión de futuro.
- Hueso González, A; Cascant i Sempere, M. J. (2012). Metodologías y técnicas cuantitativas de investigación. Cuadernos docentes en procesos de desarrollo No. 1. Editorial Univesitat Politécnica de Valencia.
- Laplacette, G. (2007). Guías para el primer nivel de atención de la salud. Programas y proyectos de base comunitaria. Buenos Aires: Universidad de Buenos Aires Ministerio de Salud. Textos analizados
- Laso, S. *La importancia de la teoría crítica en las ciencias sociales*. Espacio Abierto Cuaderno Venezolano de Sociología Vol. 13 No. 3 p. 435 – 455. Julio-septiembre 2004.
- Lerma, H.D. (2009). Metodología de la investigación: propuesta, anteproyecto y proyecto. Madrid: Ecoe Ediciones
- López Estrada, R.E; Deslauriers, J.P. *La entrevista cualitativa como técnica para la investigación en Trabajo Social.* Margen Nº 61, junio de 2011.
- López-Osuna, S. (2016). Modelos de gestión directiva en la educación y su impacto social. Editorial Académi-

ca Española. Saarbrücken, Alemania.
- Lucas Marín, A; García Ruiz, P; Llano Aristizábal, S. (s.f.). Sociología de las organizaciones. Influencia de las Tecnologías de la Información y la Comunicación. Editorial Fragua.
- https://eduteka.icesi.edu.co/gp/upload/libro%20sociologia%20de%20las%20organizaciones.pdf
- Mac, B. "Goal Setting". Brian Mac Sports Coach. Archived from the original on 13 July 2017.
- Malhotra, N. (2008). Investigación de mercados. 5a. Ed. Pearson. México.
- Manhaes, F. *Mensaje en la lista*. Elebrasil, 23 de mayo de 2006
- Maranto Rivera, M; González Fernández, M. A. ¿Qué es la Ciencia? Enero, 2015. Universidad Autónoma del Estado de Hidalgo.
- Marín Lucas, A; García Ruiz P: Llano Aristizábal, S. (s.f.). Sociología de las Organizaciones Influencia de las Tecnologías de la Información y la Comunicación. Ed. FRAGUA. Madrid.
- Martínez Rossiter, M .C; Torrecilla, A. (2015). El objeto de intervención del Trabajo Social y su construcción a lo largo de la historia. Documentos de Trabajo Social · nº56. Argentina.
- Mendoza Doria, J. Modelos de desarrollo empresarial para impulsar la productividad de las MIPYMES. Ciencias Administrativas Teoría y Praxis Núm. 1 Año 14, enero-junio 2018, p. 73-85.
- Meneses, J; Rodríguez, D. (s.f.). El Cuestionario y la Entrevista. PID_00174026. Universidad Oberta de Catalunya.
- Meza B. Adriana. *El Diagnóstico Organizacional: elementos, métodos y técnicas*. 03 de enero de 2020. Mi espacio.

- https://www.infosol.com.mx/miespacio/el-diagnostico-organizacional-elementos-metodos-y-tecnicas/
- Morgan, G; Harmon, R. (2001). En: Journal of the American Academy of Child and Adolescent Psychiatry. appstate.edu.
- Mesa, L; Rodríguez, A. (2012). Propuesta de intervención de la estructura y comunicación organizacional de EMERGIA LTDA por medio de la aplicación del modelo MMGO. Universidad EAN. Facultad de Humanidades y Ciencias Sociales. Lenguas Modernas. Bogotá D.C.
- https://repository.ean.edu.co/bitstream/handle/10882/3046/RodriguezFernanda2012.pdf?sequence=1
- Miklos, T; Arrollo, M. *Prospectiva y Escenarios para el Cambio Social*. Abril de 2008.
- https://www2.congreso.gob.pe/sicr/cendocbib/con4_uibd.nsf/2415A5FD597B34B005257D82005745DC/$-FILE/Mikos_y_Margarita.pdf
- Murillo Vargas, G. *Sociología de las organizaciones. Una perspectiva desde el poder y la autoridad para entender la cohesión social: el caso de la banca en Colombia.* Pensamiento & Gestión, núm. 26, p. 39-72, julio, 2009. Universidad del Norte Barranquilla, Colombia.
- Niño Rojas, V.M. (2011). Metodología de Investigación: diseño y ejecución. Madrid: Ediciones de la U.
- Oncins de Frutos, M. (s.f.) NTP 283: Encuestas: metodología para su utilización. Centro Nacional de Condiciones de Trabajo. España
- Ortiz-García, J.M. *Guía descriptiva para la elaboración de protocolos de investigación Salud en Tabasco*, vol. 12, núm. p. 530-540, 3 septiembre-diciembre, S/A). Secretaría de Salud del Estado de Tabasco Villahermosa, México.
- Pérez, M. (2022). Actividad 8. Individual. Ejecución de la intervención. Proyecto de Intervención IV. Doctora-

do en Dirección Estratégica y Gestión de la Innovación. CEPC Universidad.

- https://docs.google.com/document/d/1zFmo6ILHopw-5Vm7NnZrhChoY8aeWVc4Z/edit#
- Pfeffer, J. (1997). Organizations from a Critical Theory Perspective, New Directions for Organization Theory, New York: Oxford University Press, p. 177-189.
- Piskurich, George M. (2011). Rapid Instructional Design: Learning ID Fast and Right. John Wiley & Sons. p. 132.
- Quiroa, M. Plataforma Economipedia. 30 de noviembre de 2019. https://economipedia.com/definiciones/producto-basico.html#:~:text=El%20producto%20b%C3%A1sico%2C%20es%20lo,es%20diferente%20en%20cada%20uno
- Ramírez, C. & Ramírez, M. P. (2016). Fundamentos de Administración. 4ta. Edición. ECOE EDICIONES.
- https://www.researchgate.net/publication/307466939_Fundamentos_de_Administracion/link/57d32ea108ae-5f03b48cd9ba/download
- Ramírez, J. (s.f.). La técnica Delphi: otra herramienta de investigación cualitativa academia.ed
- Richards, J.C.; Rodgers, T.S. (1983). Enfoques y métodos de la enseñanza de idiomas. 2ª ed. Madrid: Cambridge University Press, 2003 RICO, F. Historia y Crítica de la Literatura Española. Barcelona: Crítica.
- Rodríguez Castro, S. (2003). Diccionario Etimológico Griego-Latín del Español. México, Grupo Editorial Esfinge.
- Rodríguez Revoredo, M.A. (s.f.). Escala para evaluar los datos básicos del diseño de una investigación en educación. México, Secretaría de Educación y Cultura, Subsecretaría de Educación Básica, Subsecretaría de Educación Media Superior y Superior.
- Rodríguez, M. *Estrategias de Intervención Institucional.* Ma-

nual operacional. Punta Arenas –Magallanes. Junio de 2010.

- Rodríguez-Martos, Y. *Criterios de segmentación de mercado: ejemplos y tipos*. 02 de diciembre de 2019) Ensyme Advising Group.
- https://blog.enzymeadvisinggroup.com/criterios-de-segmentacion-de-mercado
- Rodríguez U., M. L. *Estrategias de Intervención – Algunos aspectos metodológicos y epistemológicos.* Epistemología, Metodología, Técnicas de investigación en Ciencias Sociales. Punta Arenas – Magallanes. 19 de noviembre de 2010.
- https://metodologiasdelainvestigacion.wordpress.com/2010/11/19/estrategias-de-intervencion-algunos-aspectos-metodologicos-y-epistemologicos/
- Rondán Vásquez, L. (2017). Aportes de la sociología organizacional al estudio de la gestión de recursos humanos en Latinoamérica: balance de literatura y perspectivas. https://congreso.pucp.edu.pe/ciencias-gestion/wp-content/uploads/sites/54/2019/02/Rond%C3%A1n-2017-Aportes-de-la-sociolog%C3%ADa-organizacional-al-estudio-de-los-RR.HH_.-en-Latinoam%C3%A9rica.pdf
- Rotter, J. B. Generalized expectancies for internal versus external control of reinforcement, Psychological Monographs: General and Applied, Vol. 80, Nº 1, 1966.
- Rubio, M.J; Varas, J. (1997). El Análisis de la Realidad en la Intervención Social, Métodos y Técnicas de Investigación. Madrid, España, Edit. CCS.
- Rudduck, J. Hopkins, D. (2004). La investigación como base de la enseñanza. Quinta Edición. Madrid, España. Editorial Morata.
- Sabino, C. (1986). El proceso de investigación. Editorial Humanitas. Venezuela.

- Saci, N. (2014). Data collection methods. Research Methodology. academia.edu.
- Sánchez Aviña, J.G. (2006). El Proceso de la Investigación de Tesis. Un enfoque contextual. Segunda edición. México, Cuadernos Académicos de Trabajo 2, Universidad Iberoamericana Puebla.
- Sánchez Galán, J. (2022). Plataforma Economipedia.
- https://economipedia.com/definiciones/estructura-empresarial.html#:~:text=La%20estructura%20empresarial%20sirve%20para,un%20proyecto%20de%20car%C3%A1cter%20lucrativo.)
- Sánchez, M. J. (2018). Definir el perfil del consumidor: clave para el éxito de un producto. AINIA. Artículo Electrónico.
- https://www.ainia.es/tecnoalimentalia/consumidor/definir-el-perfil-del-consumidor-clave-para-el-exito-de-un-producto/
- Sánchez Puentes, R. *Didáctica de la problematización en el campo científico de la educación*. Perfiles Educativos, núm. 61, julio-sept, 1993 Instituto de Investigaciones sobre la Universidad y la Educación. Centro de Estudios sobre la Universidad / UNAM. México. https://www.redalyc.org/pdf/132/13206108.pdf
- Senge, P. (2010). La quinta disciplina. Cómo impulsar el aprendizaje en la organización inteligente. Granica. México.
- Siegel, S. (1976). Estadística no paramétrica aplicada a las ciencias de la conducta. México, D.F., Edit. Trillas; 1976.
- Sierra Bravo, R. (1984) Ciencias sociales, epistemología, lógica y metodología; Madrid, Ed. Paraninfo.
- Stagnaro, D. Da Representaçao, N. (2012). El proyecto de intervención. En carrera: textos básicos Lucía Natale (coordinadora). Primera edición. Los Polvorines. Universidad Nacional de General Sarmiento.

- Staton, J. (2013). Marketing. (14° edición). Mc Graw Hill. México.
- Stegmuller W. (2018). Teoría y experiencia. Capítulo VIII. Empiria y dato. Ed. Ariel, Barcelona.
- http://www2.izt.uam.mx/sotraem/bibliocuarto/13.empiriadato.pdf
- Sthulman, L. (1978). Métodos y técnicas para el diagnóstico organizacional, en La organización. Nuevas perspectivas para su conocimiento, Layetana Ediciones, Buenos Aires.
- Strauss, A; Corbin, J. (2002). Bases de la investigación cualitativa. Técnicas y procedimientos para desarrollar la teoría fundamentada. Editorial Universidad de Antioquia Facultad de Enfermería de la Universidad de Antioquia. Colombia. https://diversidadlocal.files.wordpress.com/2012/09/bases-investigacion-cualitativa.pdf
- Swan Rodríguez-Camejo; J. García-Ramos, T; Santiago-Estrada, S. *Teoría de la subjetividad y psicoterapia: una propuesta desde la perspectiva histórico cultural.* Revista Interamericana de Psicología/Interamerican Journal of Psychology 2020, Vol., 54, No. 3, e1117. Universidad de Puerto Rico, San Juan, Puerto Rico.
- Tapia, M; Granizo, S; Granizo, L. (2017). Estudio de pre-factibilidad de proyectos sociales y productivos. Revista: Caribeña de Ciencias Sociales. eumed.net. https://www.eumed.net/rev/caribe/2017/01/pre-factibilidad.html
- Torres Maldonado, A. *Elección de un tema de investigación.* Metodología de la Investigación. Presentación 2. (MEXACDE) - octubre 2022. Universidad de la Rioja.
- https://micampus.unir.net/courses/34885/files/folder/Dr.%20Alfonso%20Torres%20Maldonado?preview=6647814
- UNIR (Universidad Internacional de La Rioja) (2022).

Tema 1. Inteligencia Emocional. Digital & Soft Skills Program.

- https://micampus.unir.net/courses/30382/external_tools/166780
- UNIR (Universidad Internacional de La Rioja) (2022a). Tema 3. La propuesta de investigación. Metodología de la Investigación. Maestría en Aprendizaje, Cognición y Desarrollo Educativo.
- UNIR (Universidad Internacional de La Rioja) (2022b). Tema 4. El marco teórico. Metodología de la Investigación.
- UNIR (Universidad Internacional de La Rioja) (2022[c]). Tema 6. Marco metodológico. Maestría en Aprendizaje, Cognición y Desarrollo Educativo. Metodología de la Investigación.
- UNIR (Universidad Internacional de La Rioja) (2022[d]). Tema 8. Resultados. Maestría en Aprendizaje, Cognición y Desarrollo Educativo. Metodología de la Investigación.
- University of Minnesota. (s.f.). Data Collection Techniques. cyfar.org.
- Vargas Jiménez, I. La entrevista en la investigación cualitativa: nuevas tendencias y retos. Revista CAES. Mayo, 2012, Vol.3I, No. 1, p. 119-139
- Vasilachis de Gialdino, I. (2007). Estrategias de investigación cualitativa. Editorial Gedisa. Buenos Aires.
- Velazco, E; Zamanillo, I; Gurutze, M. (s.f.). Evolución de los modelos sobre el proceso de innovación: desde el modelo lineal hasta los sistemas de innovación. Decisiones organizativas.
- http//: EVOLUCION_DE_LOS_MODELOS_SOBRE_EL_PROCES.pdf
- Yemm, Graham (2013). Essential Guide to Leading Your Team: How to Set Goals, Measure Performance and Reward Talent. Pearson Education. p. 37–39.

- Yuni, J.A; Urbano, C.A. (2010). Técnicas para investigar: recursos metodológicos para la preparación de proyectos de investigación (2ª ed.). Madrid: Editorial Brujas.
- Zorrila Arena, S. (200). Introducción a la Metodología de la Investigación. Sexta Edición. México, Aguilar León y cal Editores.

ANEXOS

- Se incluyen todos y cada uno de los documentos que apoyan el contenido del *Proyecto de Intervención*, numerados y en orden de citación (instrumentos, fotografías, formatos, etc.).

Made in the USA
Middletown, DE
22 April 2023